Querida filha,

Aproveite para ler em
capítulo, sempre que
puder, antes de dormir.
Tudo bom sonhos você
acordar mais descansada
e feliz!

Beijos
Pai

Abril, 2015

ATITUDES

FRANCISCO DO ESPÍRITO SANTO NETO
pelo espírito **HAMMED**

30ª edição

1ª edição: Setembro de 1997

Dados Internacionais de Catalogação na Publicação (CIP)
(Câmara Brasileira do Livro, SP, Brasil)

Hammed (Espírito) .
Renovando Atitudes / pelo espírito Hammed;
psicografado por Francisco do Espírito Santo Neto
Catanduva, SP : Boa Nova Editora, 1997.

ISBN 978-85-99772-61-4

1. Espiritismo 2. Médiuns 3. Psicografia
I. Santo Neto, Francisco do Espírito. II. Título.

97-3808   CDD-133.93

Índices para catálogo sistemático:
1. Mensagens psicografadas : Espiritismo 133.93

Impresso no Brasil/*Presita en Brazilo/Printed in Brazil*

A RENOVANDO ATITUDES

FRANCISCO DO ESPÍRITO SANTO NETO
pelo espírito **HAMMED**

Instituto Beneficente Boa Nova
Entidade coligada à Sociedade Espírita Boa Nova
Av. Porto Ferreira, 1.031 | Parque Iracema
Catanduva/SP | CEP 15809-020
www.boanova.net | boanova@boanova.net
Fone: (17) 3531-4444

boanova editora

30ª edição
De 278º ao 308º milheiro
30.000 exemplares
Outubro/2012
© 1997-2012 by Boa Nova Editora

Capa
Direção de arte
Francisco do Espírito Santo Neto
Designer
Jurandyr Godoy Bueno

Diagramação
Juliana Mollinari
Cristina Fanhani Meira

Revisão
Mariana Lachi
Marli Soubhia Gil
Paulo César de Camargo Lara

Coordenação Editorial
Julio Cesar Luiz

O produto da venda desta obra é
destinado à manutenção das
atividades assistenciais da Sociedade
Espírita Boa Nova, de Catanduva, SP.

1ª edição: Setembro de 1997 - 10.000 exemplares

Índice

Índice

Palavras do médium

Vivi grande parte de minha infância, no período de 1956 a 1967, na fazenda Bela Vista, propriedade de meus pais nas redondezas de Catanduva. Morávamos em um casarão construído no começo do século, muito alto e alicerçado sobre porões. Tinha grandes portas e janelas, uma ampla varanda a marcar a entrada, entrelaçada com trepadeiras que a refrescavam com sombra acolhedora. Era todo rodeado de *flamboyants* floridos, cheirosos jambeiros e muitas outras árvores enormes.

Apesar das diversas possibilidades de uma criança encontrar num lugar como esse motivos para brincar e divertir-se, eu me lembro de que meus entretimentos preferidos eram escutar minha mãe tocar piano e construir com argila ídolos, estatuetas e templos com altas colunas, os quais eu utilizava para criar histórias curiosas. Fantasiava e imaginava as personagens durante a noite em meus sonhos, para materializá-las depois, durante o dia, entre dramas e acontecimentos interessantes.

Outro fato que me marcou profundamente foi que ao amanhecer, quase todos os dias, fazia do criado-mudo do meu quarto o altar de uma igreja, gesticulando com as mãos, distribuindo bênçãos para os meus pais e minhas três irmãs, além de hóstias de miolo de pão feitas por mim.

Se reúno aqui algumas dentre as muitas recordações de minha infância é somente para mostrar que, antes de entender-me como pessoa neste mundo e antes de possuir plena consciência das coisas, já se manifestavam em mim fortes reminiscências de vidas passadas, assim como tendências profundas pela religiosidade e interesses vigorosos pela vida espiritual.

Posteriormente, no início de minha adolescência, mudamo-nos para a cidade, onde me recordo das sucessivas indagações a respeito do fenômeno "morte" que percorriam minha mente. Imensa curiosidade me envolvia quando acompanhava meus pais nos velórios de parentes e de amigos da família, pois reflexionava naqueles momentos, querendo desvendar a qualquer preço os mistérios do além-túmulo. Durante os intervalos das aulas no Instituto de Educação Barão do Rio Branco, onde estudava, por seu prédio encontrar-se ao lado do cemitério local, eu tinha a possibilidade, às vezes, de acompanhar o sepultamento de pessoas das mais diversas classes sociais.

Observando os funerais, sempre indagava de mim mesmo o porquê de caixões humildes com tampos de pano ou das urnas caras com enfeites de bronze; das corbelhas de flores exóticas ou dos ramalhetes de flores caseiras; dos mausoléus suntuosos de mármore ou das covas rasas de terra batida. Se todos tinham a mesma destinação com a morte do corpo físico, por que tantos contrastes? Para onde iam as almas? Como viviam? Quais os critérios para se viver bem após a morte?

Precisamente aos dezessete anos, ao ser tocado pela mediunidade redentora, fui levado a descobrir gradativamente todas as respostas para as perguntas que povoavam há anos meu espírito sedento pelas coisas espirituais. Passei, então, por diferentes correntes religiosas e em algumas exercitei a mediunidade, aprendendo as primeiras lições sobre a reencarnação e sobre a vida no além.

No entanto, foi em 1973 que, pela primeira vez, tomei contato com as obras "O Livro dos Espíritos", de Allan Kardec, e "Voltei", do Irmão Jacob, presentes do querido amigo Diomar Ziviani, nas quais pude sentir uma atmosfera de recordações saudosas associada à emoção de já ter visto e apreciado todos aqueles textos e ensinamentos.

Apesar de há muito o meu instrutor espiritual Hammed, junto de outros tantos espíritos bondosos que me assistem, estar presente dirigindo minhas faculdades mediúnicas através da psicofonia, somente em novembro de 1974 recebi minha primeira página psicografada. Tinha como título "O Valor da Oração" e vinha assinada pelo espírito Ivan de Albuquerque, entidade amiga até então completamente desconhecida em meu círculo de atividades espirituais.

No decorrer desses quase vinte e cinco anos nas tarefas da mediunidade, recebi centenas de mensagens, realizando o devido exercício de ajustamento e flexibilidade que esses mesmos mentores diziam que eu necessitava ter para ser um elemento mais afinado com eles, para adquirir boa receptividade e produzir convenientemente.

Ao longo desses anos, aprendi a admirar o bem cada vez mais e, por meio dele, edifiquei, com outros tantos amigos, a Sociedade Espírita Boa Nova, nascida de um trabalho despretensioso de um grupo de jovens em 1981. Os anos passaram e as atividades na área mediúnica se mesclaram com as da área social.

Os caminhos se alargaram e a luz continuou sempre a atingir a todos nós. Nos últimos anos, surgiram em nossa sociedade, para nossa alegria, vários empreendimentos ligados à área do livro espírita, sob a inspiração do Mundo Maior: Clube do Livro, Banca do Livro, Livraria Espírita, Distribuidora e, recentemente, a Editora.

"Nada acontece por acaso". Assim refletindo, consigo visualizar claramente toda a fase de preparação pela qual passei, a fim de poder, hoje, contribuir humildemente com meus poucos recursos de médium no trabalho iluminado do Espiritismo.

Agradeço ao Bom Mestre Jesus, bem como aos nobres e generosos Mensageiros Espirituais, a oportunidade de estar colaborando com os leitores deste livro de Hammed, em que servi de simples intermediário. Que esta obra possa inspirá-los em seu dia a dia, colocar luz em seus caminhos e dar-lhes entendimento diante dos obstáculos.

O espírito Hammed*

Recordo-me de que, no final de 1972, registrei pela primeira vez a presença amiga do meu Instrutor Espiritual, Hammed. Experimentei, durante todo o tempo em que transmitia suas palavras pela psicofonia semi-inconsciente, uma sensação nova, que me envolveu o coração numa serena atmosfera fluídica. Uma paz imensa tomou conta de todo o recinto, envolvendo os que ali participavam das tarefas da noite.

Ele afirmava nesse encontro que seus laços afetivos se prendiam de modo vigoroso aos elementos do grupo ali presentes, e particularmente se dirigiu a mim, reiterando os vínculos espirituais que tínhamos, decorrentes das diversas experiências que juntos vivemos nos muitos séculos das eras distantes.

Oportunamente, soube outras particularidades de nossas encarnações, através dos constantes contatos mediúnicos com ele, em que dizia, entre outras coisas, que, antes da Era Cristã, já tínhamos vivido várias vezes juntos no Oriente e, especificamente, na milenar Índia.

Hammed é o pseudônimo que ele adotou, alegando sentir-se assim mais livre para desempenhar os labores espirituais que se propôs a realizar na atualidade.

---

* **NOTA:** Lê-se Raméd (palavra de origem árabe).

Mais tarde, também me confidenciou que, na França do século XVII, participou do movimento jansenista, precisamente no convento de Port-Royal des Champs, nas cercanias de Paris, como religioso e médico.

Costuma mostrar-se espiritualmente, ora com roupagem característica de um indiano, ora com trajes da época do rei francês Luís XIII. Em meus encontros com ele durante o sono, pude guardar com nitidez seu semblante sereno e ao mesmo tempo firme, o que facilitou a descrição precisa que fiz ao pintor catanduvense Morgilli, que o retratou em 1988 com muita originalidade.

Hammed tem sido para mim não somente um mestre lúcido e lógico, mas também um amigo dedicado e compreensivo. Recebo sempre suas lições com muita atenção e carinho, porque ele tem mostrado possuir uma sabedoria e coerência ímpares, quando me orienta sobre fatos e ocorrências inerentes à tarefa na qual estamos ligados no Espiritismo.

Explica-me demoradamente, quando preciso, as causas reais dos encontros, reencontros e desencontros com as criaturas e o porquê das dores e conflitos do hoje, mostrando-me sempre a origem dos fatos – verdadeiros motivos que culminaram nos acontecimentos agradáveis e desagradáveis do presente.

Portanto, não poderia deixar de vir publicamente, no limiar deste livro, agradecer ao meu querido Benfeitor Espiritual todas as bênçãos de entendimento e paz que ele me tem proporcionado, bem como rogar ao Senhor da Vida que o abençoe e o ilumine agora e para sempre.

Catanduva, 4 de julho de 1997.
Francisco do Espírito Santo Neto

Renovando atitudes

Recolhemos trechos de algumas mensagens de "O Evangelho Segundo o Espiritismo", para tecer alguns comentários aos leitores amigos, na esperança de que possam renovar suas atitudes sob a inspiração de Jesus Cristo.

Estudar e refletir sobre a profunda sabedoria do Mestre, emérito conhecedor da psique humana, a qual Ele sabia ser a fonte das causas reais dos sofrimentos, nos torna mais francos e honestos com nós mesmos e com os outros e nos possibilita a extinção de nossas reações neuróticas nas múltiplas situações da vida, reações essas que nos impedem o autoconhecimento e anulam toda e qualquer possibilidade de relacionamento sadio e sincero com os outros.

O Mestre sabia das nossas dificuldades de perceber a realidade, dos esconderijos psicológicos que edificamos como métodos de defesa e dos inúmeros papéis e jogos que cultivamos inconscientemente para não assumir responsabilidades ou para camuflar nossas diversas predisposições.

O Evangelho à luz da obra de Kardec retém um enorme manancial para edificarmos nossos valores morais na renovação de nossas atitudes e para redescobrirmos nossas verdadeiras potencialidades, que herdamos da Paternidade Divina. As armadilhas do ego, as presunções da ilusão, as dependências e insegurança, as falsas vocações ou as reais tendências podem ser identificadas com clareza se examinarmos com atenção nossos limites, fazendo auto-observação da vida em nós e fora de nós mesmos.

Ao apresentarmos estas páginas aos leitores amigos, não temos a pretensão de impor regras ou determinar caminhos, nem mesmo regulamentar quais são as melhores atitudes a serem tomadas. Por termos plena consciência da imensa diversidade dos níveis de amadurecimento dos seres humanos, regidos como todos estamos pela "Lei das Vidas Sucessivas", compreendemos que cada ser está num determinado estágio evolutivo e, portanto, fazendo tudo o que lhe é possível fazer no momento, ou seja, conduzindo-se no agora com o melhor de si mesmo.

Tomemos a Natureza como exemplo: entendemos que passaríamos por incoerentes se censurássemos um botão de rosa ainda fechado por não estar já totalmente desenvolvido ou aberto; ou se recriminássemos uma roseira por não ter dado a mesma quantidade de botões do que a roseira plantada a seu lado e cultivada no mesmo canteiro. Na realidade, afirmar aos outros quais atitudes eles deveriam ter é desrespeitar sua natureza íntima, ou seja, seu próprio grau de crescimento espiritual.

O conteúdo deste livro tem a intenção de contribuir para que todos nós possamos reflexionar sobre o porquê das atitudes humanas, a fim de poder entendê-las em seus diversos matizes comportamentais e, como consequência, melhorar a nós próprios, reconstruindo-nos ou transformando-nos interiormente, para que o Reino dos Céus se edifique dentro de nós mesmos.

Não podemos assegurar que nestas páginas vocês encontrarão sempre interpretações novas e inéditas, pois sabemos que existem excelentes obras amplamente habilitadas a dar grande contribuição, da mesma forma que outros tantos companheiros poderão suprir nossa dificuldade de expressão, com maior competência e destreza.

Como nosso livro trata de nossas interpretações pessoais, gostaríamos que os leitores se dessem conta de que talvez a maior dificuldade que enfrentamos para entender novas ideias seja a tendência que temos de retomá-las ou tentar explicá-las utilizando nossa maneira habitual de ver e sentir, e retraduzindo tudo em linguagem coloquial e convencional.

Finalizando, agradecemos a atenção para conosco e endereçamos nosso livro, como uma singela contribuição, a todos aqueles que sinceramente buscam o caminho do autodescobrimento, tendo Jesus Cristo não só como Terapeuta do corpo e da mente, mas também como Modelo e Preceptor de almas.

Catanduva, 4 de julho de 1997.
Hammed

Tua medida

*"Não julgueis, a fim de que não sejais julgados;
porque vós sereis julgados segundo houverdes
julgado os outros; e se servirá para convosco da mesma
medida da qual vos servistes para com eles."*
(Cap. X, item 11.)*

Toda opinião ou juízo que desenvolvemos no presente está intimamente ligado a fatos antecedentes.

Quase sempre, todos estamos vinculados a fatores de situações pretéritas, que incluem atitudes de defesa, negações ou mesmo inúmeras distorções de certos aspectos importantes da vida. Tendências ou pensamentos julgadores estão sedimentados em nossa memória profunda, são subprodutos de uma série de conhecimentos que adquirimos na idade infantil e também através das vivências pregressas.

Censuras, observações, admoestações, superstições, preconceitos, opiniões, informações e influências do meio, inclusive de instituições diversas, formaram em nós um tipo de "reservatório moral" – coleção de regras e preceitos a ser

---

* A presente citação e todas as demais que iniciam cada capítulo foram extraídas de "O Evangelho Segundo o Espiritismo", de Allan Kardec – **nota do autor espiritual.**

rigorosamente cumpridos –, do qual nos servimos para concluir e catalogar as atitudes em boas ou más.

Nossa concepção ético-moral está baseada na noção adquirida em nossas experiências domésticas, sociais e religiosas, das quais nos servimos para emitir opiniões ou pontos de vista, a fim de harmonizarmos e resguardarmos tudo aquilo em que acreditamos como sendo "verdades absolutas". Em outras palavras, como forma de defender e proteger nossos "valores sagrados", isto é, nossas aquisições mais fortes e poderosas, que nos servem como forma de sustentação.

Em razão disso, os frequentes julgamentos que fazemos em relação às outras pessoas nos informam sobre tudo aquilo que temos por dentro. Explicando melhor, a "forma" e o "material" utilizados para sentenciar os outros residem dentro de nós.

Melhor do que medir ou apontar o comportamento de alguém seria tomarmos a decisão de visualizar bem fundo nossa intimidade, e nos perguntarmos onde está tudo isso em nós. Os indivíduos podem ser considerados, nesses casos, excelente espelho, no qual veremos quem somos realmente. Ao mesmo tempo, teremos uma ótima oportunidade de nos transformar intimamente, pois estaremos analisando as características gerais de nossos conceitos e atitudes inadequados.

Só poderemos nos reabilitar ou reformar até onde conseguimos nos perceber; ou seja, aquilo que não está consciente em nós dificilmente conseguiremos reparar ou modificar.

Quando não enxergamos a nós mesmos, nossos comportamentos perante os outros não são totalmente livres para que possamos fazer escolhas ou emitir opiniões. Estamos amarrados a formas de avaliação, estruturadas nos mecanismos de defesa – processos mentais inconscientes que possibilitam ao indivíduo manter sua integridade psicológica através de uma forma de "auto-engano". Certas pessoas, simplesmente por não conseguirem conviver com a verdade, tentam sufocar ou enclausurar seus sentimentos e emoções, disfarçando-os no inconsciente.

Em todo comportamento humano existe uma lógica, isto é, uma maneira particular de raciocinar sobre sua verdade; portanto, julgar, medir e sentenciar os outros, não se levando em conta suas realidades, mesmo sendo consideradas preconceituosas, neuróticas ou psicóticas, é não ter bom senso ou racionalidade, pois na vida somente é válido e possível o "autojulgamento".

Não obstante, cada ser humano descobre suas próprias formas de encarar a vida e tende a usar suas oportunidades vivenciais, para tornar-se tudo aquilo que o leva a ser um "eu individualizado".

Devemos reavaliar nossas ideias retrógradas, que estreitam nossa personalidade, e, a partir daí, julgar os indivíduos de forma não generalizada, apreciando suas singularidades, pois cada pessoa tem uma consciência própria e diversificada das outras tantas consciências.

Julgar uma ação é diferente de julgar a criatura. Posso julgar e considerar a prostituição moralmente errada, mas não posso e não devo julgar a pessoa prostituída. Ao usarmos da empatia, colocando-nos no lugar do outro, "sentindo e pensando com ele", em vez de "pensar a respeito dele", teremos o comportamento ideal diante dos atos e atitudes das pessoas.

Segundo Paulo de Tarso, "é indesculpável o homem, quem quer que seja, que se arvora em ser juiz. Porque julgando os outros, ele condena a si mesmo, pois praticará as mesmas coisas, atraindo-as para si, com seu julgamento"[1].

O "Apóstolo dos Gentios" manifesta-se claramente, evidenciando nessa afirmativa que todo comportamento julgador estará, na realidade, estabelecendo não somente uma sentença, ou um veredicto, mas, ao mesmo tempo, um juízo, um valor, um peso e uma medida de como julgaremos a nós mesmos.

Essencialmente, tudo aquilo que decretamos ou sentenciamos tornar-se-á nossa "real medida": como iremos viver com nós mesmos e com os outros.

O ser humano é um verdadeiro campo magnético, atraindo pessoas e situações, as quais se sintonizam amorosamente com seu mundo mental, ou mesmo antipatizam com sua maneira de ser. Dessa forma, nossas afirmações prescreverão as águas por onde a embarcação de nossa vida deverá navegar.

Com frequência, escolhemos, avaliamos e emitimos opiniões e, consequentemente, atraímos tudo aquilo que irradiamos. A psicologia diz que uma parte considerável desses pensamentos e experiências, os quais usamos para julgar e emitir pareceres, acontece de modo automático, ou seja, através de mecanismos não perceptíveis. É quase inconsciente para a nossa casa mental o que escolhemos ou opinamos, pois, sem nos dar conta, acreditamos estar usando o nosso "arbítrio", mas, na verdade, estamos optando por um julgamento predeterminado e estabelecido por "arquivos" que registram tudo o que nos ensinaram a respeito do que deveríamos fazer ou não, sobre tudo que é errado ou certo.

Poder-se-á dizer que um comportamento é completamente livre para eleger um conceito eficaz somente quando

---

[1] Romanos 2:1.

as decisões não estão confinadas a padrões mentais rígidos e inflexíveis, não estão estruturadas em preconceitos e não estão alicerçadas em ideias ou situações semelhantes que foram vivenciadas no passado.

Nossos julgamentos serão sempre os motivos de nossa liberdade ou de nossa prisão no processo de desenvolvimento e crescimento espiritual.

Se criaturas afirmarem "idosos não têm direito ao amor", limitando o romance só para os jovens, elas estarão condenando-se a uma velhice de descontentamento e solidão afetiva, desprovida de vitalidade.

Se pessoas declararem "homossexualidade é abominável" e, ao longo do tempo, se confrontarem com filhos, netos, parentes e amigos que têm algum impulso homossexual, suas medidas estarão estabelecidas pelo ódio e pela repugnância a esses mesmos entes queridos.

Se indivíduos decretarem "jovens não casam com idosos", estarão circunscrevendo as afinidades espirituais a faixas etárias e demarcando suas afetividades a padrões bem estreitos e apertados quanto a seus relacionamentos.

Se alguém subestimar e ironizar "o desajuste emocional dos outros", poderá, em breve tempo, deparar-se em sua própria existência com perplexidades emocionais ou dilemas mentais que o farão esconder-se, a fim de não ser ridicularizado e inferiorizado, como julgou os outros anteriormente.

Se formos juízes da "moral ideológica" e "sentimental", sentenciando veementemente o que consideramos como "erros alheios", estaremos nos condenando ao isolamento intelectual, bem como ao afetivo, pela própria detenção que impusemos aos outros, por não deixarmos que eles se lançassem a novas ideias e novas simpatias.

"Não julgueis, a fim de que não sejais julgados", ou mesmo, "se servirá para convosco da mesma medida da qual vos servistes para com eles", quer dizer, alertemo-nos quanto a tudo aquilo que afirmamos julgando, pois no "auditório da vida" todos somos "atores" e "escritores" e, ao mesmo tempo, "ouvintes" e "espectadores" de nossos próprios discursos, feitos e atitudes.

Para sermos livres realmente e para nos movermos em qualquer direção com vista à nossa evolução e crescimento como seres imortais, é necessário observarmos e concatenarmos nossos "pesos" e "medidas", a fim de que não venhamos a sofrer constrangimento pela conduta infeliz que adotarmos na vida em forma de censuras e condenações diversas.

Ser Feliz

"...*As*sim, pois, aqueles que pregam ser a Terra a única morada do homem, e que só nela, e numa só existência, lhe é permitido atingir o mais alto grau das felicidades que a sua natureza comporta, iludem-se e enganam aqueles que os escutam..."

(Cap. V, item 20.)

As estradas que nos levam à felicidade fazem parte de um método gradual de crescimento íntimo cuja prática só pode ser exercitada pausadamente, pois a verdadeira fórmula da felicidade é a realização de um constante trabalho interior.

Ser feliz não é uma questão de circunstância, de estarmos sozinhos ou acompanhados pelos outros, porém de uma atitude comportamental em face das tarefas que viemos desempenhar na Terra.

Nosso principal objetivo é progredir espiritualmente e, ao mesmo tempo, tomar consciência de que os momentos felizes ou infelizes de nossa vida são o resultado direto de atitudes distorcidas ou não, vivenciadas ao longo do nosso caminho.

No entanto, por acreditarmos que cabe unicamente a nós a responsabilidade pela felicidade dos outros, acabamos nos esquecendo de nós mesmos. Como consequência, não administramos, não dirigimos e não conduzimos nossos próprios passos. Tomamos como jugo deveres que não são nossos e assumimos compromissos que pertencem ao livre-arbítrio dos outros. O nosso erro começa quando zelamos pelas outras pessoas e as protegemos, deixando de segurar as rédeas de nossas decisões e de nossos caminhos.

Construímos castelos no ar, sonhamos e sonhamos irrealidades, convertemos em mito a verdade e, por entre ilusões românticas, investimos toda a nossa felicidade em relacionamentos cheios de expectativas coloridas, condenando-nos sempre a decepções crônicas.

Ninguém pode nos fazer felizes ou infelizes, somente nós mesmos é que regemos o nosso destino. Assim sendo, sucessos ou fracassos são subprodutos de nossas atitudes construtivas ou destrutivas.

A destinação do ser humano é ser feliz, pois todos fomos criados para desfrutar a felicidade como efetivo patrimônio e direito natural.

O ser psicológico está fadado a uma realização de plena alegria, mas por enquanto a completa satisfação é de poucos, ou seja, somente daqueles que já descobriram que não é necessário compreender como os outros percebem a vida, mas sim como nós a percebemos, conscientizando-nos de que cada criatura tem uma maneira única de ser feliz. Para sentir as primeiras ondas do gosto de viver, basta aceitar que cada ser humano tem um ponto de vista que é válido, conforme sua idade espiritual.

Para ser feliz, basta entender que a felicidade dos outros é também a nossa felicidade, porque todos somos filhos de Deus, estamos todos sob a Proteção Divina e formamos um único rebanho, do qual, conforme as afirmações evangélicas, nenhuma ovelha se perderá.

É sempre fácil demais culparmos um cônjuge, um amigo

ou uma situação pela insatisfação de nossa alma, porque pensamos que, se os outros se comportassem de acordo com nossos planos e objetivos, tudo seria invariavelmente perfeito. Esquecemos, porém, que o controle absoluto sobre as criaturas não nos é vantajoso e nem mesmo possível. A felicidade dispensa rótulos, e nosso mundo seria mais repleto de momentos agradáveis se olhássemos as pessoas sem limitações preconceituosas, se a nossa forma de pensar ocorresse de modo independente e se avaliássemos cada indivíduo como uma pessoa singular e distinta.

Nossa felicidade baseia-se numa adaptação satisfatória à nossa vida social, familiar, psíquica e espiritual, bem como numa capacidade de ajustamento às diversas situações vivenciais. Felicidade não é simplesmente a realização de todos os nossos desejos; é antes a noção de que podemos nos satisfazer com nossas reais possibilidades.

Em face de todas essas conjunturas e de outras tantas que não se fizeram objeto de nossas presentes reflexões, consideramos que o trabalho interior que produz felicidade não é, obviamente, meta de uma curta etapa, mas um longo processo que levará muitas existências, através da eternidade, nas muitas moradas da Casa do Pai.

Tempos da Ignorância

*"... **Muito** se pedirá àquele a quem se tiver muito dado, e se fará prestar maiores contas àqueles a quem se tiver confiado mais coisas."*
"...Somos nós, pois, também cegos? Jesus lhes respondeu: Se fôsseis cegos, não teríeis pecado; mas agora dizeis que vedes e é por isso que vosso pecado permanece em vós."
(Cap. XVIII, itens 10 e 11.)

Lucas relata em Atos dos Apóstolos a seguinte orientação de Paulo de Tarso: "Deus não leva em conta os tempos da ignorância"[1]. Em outras oportunidades, confirmou também que "muito se pedirá àquele que muito recebeu"[2], quer dizer, o agravamento das faltas é proporcional ao conhecimento que se possui.

Compreendemos, dessa forma, que somos todos nós protegidos pela nossa "ignorância", pois somente seremos avaliados pela Divina Providência, de conformidade com as possibilidades do "saber" e "sentir", isto é, segundo a nossa maneira de ver a nós próprios e o mundo que nos rodeia.

As leis espirituais que dirigem a vida são sábias e justas e adaptam-se particularmente a cada criatura, levando em conta suas individualidades.

---

[1] Atos 17:30.
[2] Lucas 12:48.

O eminente psicólogo e pedagogo suíço Jean Piaget, responsável pela teoria de que o desenvolvimento das crianças propicia seu aprendizado, dizia que elas são diferentes entre si, que cada uma tem seu jeito de crescer e de se realizar como indivíduo, e que todos poderíamos ajudá-las nesse crescimento, porém nunca impondo formas generalizadas e semelhantes.

Piaget ensinava que cada criança pensa e interpreta o mundo com seu peculiar pensamento e com suas possibilidades orgânicas e mentais, quase sempre heterogêneas.

Encontramos no mundo atual modernos métodos pedagógicos que seguem esse raciocínio, levando em conta que cada indivíduo, para assimilar sua realidade de vida, é portador de um processo psicológico de aprendizagem próprio. Cada um recebe de forma dissemelhante os estímulos, decodifica-os e em seguida os reelabora, formando assim sua própria individualidade.

Por outro lado, encontramos também na reencarnação a guarida desses métodos de ensino, pois ela se baseia na multiplicidade de experiências ocorridas nos diversos avatares por onde a alma percorre seus caminhos vivenciais, como um ser individual. As diversidades do nosso tempo de criação, nossas heranças reencarnatórias, experiências emocionais e mentais, ambientes sociais onde ocorrem essas mesmas experiências, estruturas sexuais, masculinas ou femininas, e motivações várias desenvolvidas na atualidade particularizam os seres humanos com vocações, tendências, interesses, grau de raciocínio e discernimento *sui generis*.

Relativos e não generalizados devem ser os modos de ver as coisas e as pessoas. O próprio direito penal classifica e pune os crimes dentro dos padrões do "intencional" ou "doloso", "passional" ou "ocasional". Por que o Poder Inteligente que nos rege iria julgar-nos sem levar em conta nosso "tempo da ignorância" e nossa relatividade?

Como educar ou avaliar genericamente, usando o mesmo critério, crianças que receberam uma educação cheia de energia e vida, ensinadas a questionar e criar; a ter curiosidade e admiração pela natureza; e outras que só vivenciaram discussões, agressões e comportamentos medíocres por entre odores de bebidas alcoólicas e nicotina, sem uma visão saudável de Deus; ao contrário, temerosa, distorcida, adquirida através da crença de um ser ameaçador e temperamental?

O Amor de Deus programou-nos simples inicialmente para permitir que nos desenvolvêssemos, de forma gradativa, até atingir maiores plenitudes e totalidades.

Temos, pois, que seguir essa programação da Natureza, ou seja, caminhar dentro desse projeto estabelecido pelas leis universais para atingirmos a nossa integração como seres espirituais.

Esse processo evolucional nos mostra que podemos estar um pouco atrás, ou adiante, das criaturas, embora cada uma delas tenha suas características próprias e certas de acordo com sua idade astral. Nesse decurso evolutivo, todos nós passamos por fases de egoísmo e orgulho até atingirmos mais tarde as grandes virtudes da alma. Consideremos, portanto, que não seremos censurados por estar nessas fases "primitivas", porque o que chamamos de "defeito" ou "inferioridade" seja, talvez, a passagem por esses ciclos iniciantes onde estagiamos. Lembremos que essas "fases" ou "ciclos" não foram criados por nós, mas pelos desígnios de Deus, que regem a Natureza como um todo.

Coisas inadequadas que vemos em outras pessoas podem ser naturais nelas, ou mesmo do "tempo da sua ignorância", e representam características próprias de sua etapa evolucional na estrada por onde todos transitamos, alguns mais avançados e outros na retaguarda.

A vida moderna nos deu raciocínio e reflexão, maturação intelectual e um desenrolar de novas descobertas, ensinando-nos formulações racionais surpreendentes para que melhor pudéssemos compreender os métodos de evolução e progresso em nós mesmos e no Universo.

Não somos responsáveis por aquilo que não sabemos, não sofreremos um castigo por atos ou atitudes que ignoramos. Talvez essas ideias de punição, alienatórias, sejam os frutos da incapacidade de nossa reflexão sobre a Bondade Divina. O que chamamos de "sofrimento" é simplesmente "resultado" de nossa falta de habilidade para desenvolver as coisas corretamente, pois na vida não existem "prêmios" nem "castigos", somente as consequências dos nossos atos.

Vale, porém, considerar que, à medida que nossa consciência se expande e maior lucidez se faz em nossa mente, maiores serão nossos compromissos perante a existência. "Se fôsseis cegos, não teríeis pecado; mas agora dizeis que vedes e é por isso que vosso pecado permanece em vós"[3].

Podemos pretextar ignorância, mas se tivermos consciência de nossos feitos isso sempre será levado em conta.

Avaliemos atentamente: os tesouros da alma que já integramos nos obrigarão a prestar maiores ou menores contas perante a Vida Maior.

---

[3] João 9:41.

Contigo mesmo

"...O dever começa precisamente no ponto em que ameaçais a felicidade ou a tranquilidade do vosso próximo; termina no limite que não gostaríeis de ver ultrapassado em relação a vós mesmos..."

(Cap. XVII, item 7.)

Como decifrar o dever? De que maneira observar o dever íntimo impresso na consciência, diante de tantos deveres sociais, profissionais e afetivos que muitas vezes nos impõem caminhos divergentes?

Efetivamente, nasceste e cresceste apenas para ser único no mundo. Em lugar algum existe alguém igual a tua maneira de ser; portanto, não podes perder de vista essa verdade, para encontrar o dever que te compete diante da vida.

Teu primordial compromisso é contigo mesmo, e tua tarefa mais importante na Terra, para a qual és o único preparado, é desenvolver tua individualidade no transcorrer de tua longa jornada evolutiva.

A preocupação com os deveres alheios provoca teu distanciamento das próprias responsabilidades, pois não concretizas teus ideais nem deixas que os outros cumpram com suas funções. Não nos referimos aqui à ajuda real, que é sempre importante, mas à intromissão nas competências do próximo, impedindo-o de adquirir autonomia e vida própria.

Assumir deveres dos outros é sabotar os relacionamentos que poderiam ser prósperos e duradouros. Por não compreenderes bem teu interior, é que te comparas aos outros, esquecendo-te de que nenhum de nós está predestinado a receber, ao mesmo tempo, os mesmos ensinamentos e a fazer as mesmas coisas, pois existem inúmeras formas de viver e de evoluir. Lembra-te de que deves importar-te somente com a tua maneira de ser.

Não podemos nos esquecer de que aquele que se compara com os outros acaba se sentindo elevado ou rebaixado. Nunca se dá o devido valor e nunca se conhece verdadeiramente.

Teus empenhos íntimos deverão ser voltados apenas para tua pessoa, e nunca deverás tentar acomodar pontos de vista diversos, porque, além de te perderes, não ajustarás os limites onde começa a ameaça à tua felicidade, ou à felicidade do teu próximo.

Muitos acreditam que seus deveres são corrigir e reprimir as atitudes alheias. Vivem em constantes flutuações existenciais por não saberem esperar o fluxo da vida agir naturalmente. Asseveram sempre que suas obrigações são em "nome da salvação" e, dessa forma, controlam as coisas ou as forçam acontecer, quando e como querem.

Dizem: "Fazemos isso porque só estamos tentando ajudar". Forçam eventos, escrevem roteiros, fazem o que for necessário para garantir que os atores e as cenas tenham o desempenho e o desenlace que determinaram e acreditam, insistentemente, que seu dever é salvar almas, não percebendo que só podem salvar a si próprios.

Nosso dever é redescobrir o que é verdadeiro para nós e não esconder nossos sentimentos de qualquer pessoa ou de nós mesmos, mas sim ter liberdade e segurança em nossas relações pessoais, para decidirmos seguir na direção que escolhemos. Não "devemos" ser o que nossos pais ou a sociedade querem nos impor ou definir como melhor. Precisamos compreender que nossos objetivos e finalidades de vida têm valor unicamente para nós; os dos outros, particularmente para eles.

Obrigação pode ser conceituada como sendo o que deveríamos fazer para agradar as pessoas, ou para nos enquadrar no que elas esperam de nós; já o dever é um processo de auscultar a nós mesmos, descortinando nossa estrada interior, para, logo após, materializá-la num processo lento e constante.

Ao decifrarmos nosso real dever, uma sensação de autorrealização toma conta de nossa atmosfera espiritual, e passamos a apreciar os verdadeiros e fundamentais valores da vida, associados a um prazer inexplicável.

Lembremo-nos da afirmação do espírito Lázaro em "O Evangelho Segundo o Espiritismo": "O dever é a obrigação moral, diante de si mesmo primeiro, e dos outros em seguida"[1].

---

[1] "O Evangelho Segundo o Espiritismo" – cap. XVII, item 7.

.

Aprendendo a perdoar

"Se perdoardes aos homens as faltas que eles fazem contra vós, vosso Pai celestial vos perdoará também vossos pecados, mas se não perdoardes aos homens quando eles vos ofendem, vosso Pai, também, não vos perdoará os pecados."

(Cap. X, item 2.)

Nosso conceito de perdão tanto pode facilitar quanto limitar nossa capacidade de perdoar. Por possuirmos crenças negativas de que perdoar é "ser apático" com os erros alheios, ou mesmo, é aceitar de forma passiva tudo o que os outros nos fazem, é que supomos estar perdoando quando aceitamos agressões, abusos, manipulações e desrespeito aos nossos direitos e limites pessoais, como se nada estivesse acontecendo.

Perdoar não é apoiar comportamentos que nos tragam dores físicas ou morais, não é fingir que tudo corre muito bem quando sabemos que tudo em nossa volta está em ruínas. Perdoar não é "ser conivente" com as condutas inadequadas de parentes e amigos, mas ter compaixão, ou seja, entendimento maior através do amor incondicional. Portanto, é um "modo de viver".

O ser humano, muitas vezes, confunde o "ato de perdoar" com a negação dos próprios sentimentos, emoções e anseios, reprimindo mágoas e usando supostamente o "perdão" como desculpa para fugir da realidade que, se assumida, poderia como consequência alterar toda uma vida de relacionamento.

Uma das ferramentas básicas para alcançarmos o perdão real é manter-nos a uma certa "distância psíquica" da pessoa – problema, ou das discussões, bem como dos diálogos mentais que giram de modo constante no nosso psiquismo, porque estamos engajados emocionalmente nesses envolvimentos neuróticos.

Ao desprendermo-nos mentalmente, passamos a usar de modo construtivo os poderes do nosso pensamento, evitando os "deveria ter falado ou agido" e eliminando de nossa produção imaginativa os acontecimentos infelizes e destrutivos que ocorreram conosco.

Em muitas ocasiões, elaboramos interpretações exageradas de suscetibilidade e caímos em impulsos estranhos e desequilibrados, que causam em nossa energia mental uma sobrecarga, fazendo com que o cansaço tome conta do cérebro. A exaustão íntima é profunda.

A mente recheada de ideias desconexas dificulta o perdão, e somente desligando-nos da agressão ou do desrespeito ocorrido é que o pensamento sintoniza com as faixas da clareza e da nitidez, no processo denominado "renovação da atmosfera mental".

É fator imprescindível, ao "separar-nos" emocionalmente de acontecimentos e de criaturas em desequilíbrio, a terapia da prece, como forma de resgatar a harmonização de nosso "halo mental". Método sempre eficaz, restaura-nos os sentimentos de paz e serenidade, propiciando-nos maior facilidade de harmonização interior.

A qualidade do pensamento determina a "ideação" construtiva ou negativa, isto é, somos arquitetos de verdadeiros "quadros mentais" que circulam sistematicamente em nossa própria órbita áurica. Por nossa capacidade de "gerar imagens" ser fenomenal, é que essas mesmas criações nos fazem ficar presos em "monoideias". Desejaríamos tanto esquecer, mas somos forçados a lembrar, repetidas vezes, pelo fenômeno "produção/consequência".

Desligar-se ou desconectar-se não é um processo que nos torna insensíveis e frios, como criaturas totalmente impermeáveis às ofensas e críticas e que vivem sempre numa atmosfera do tipo "ninguém mais vai me atingir ou machucar". Desligar-se quer dizer deixar de alimentar-se das emoções alheias, desvinculando-se mentalmente dessas relações doentias de hipnoses magnéticas, de alucinações íntimas, de represálias, de desforras de qualquer matiz ou de problemas que não podemos solucionar no momento.

Ao soltar-nos vibracionalmente desses contextos complexos, ao desatar-nos desses fluidos que nos amarram a essas crises e conflitos existenciais, poderemos ter a grande chance de enxergar novas formas de resolver dificuldades com uma visão ampla das coisas e de encontrar, cada vez mais, instrumentos adequados para desenvolvermos a nobre tarefa de nos compreender e de compreender os outros.

Quando acreditamos que cada ser humano é capaz de resolver seus dramas e é responsável pelos seus feitos na vida, aceitamos fazer esse "distanciamento" mais facilmente, permitindo que ele seja e se comporte como queira, dando-nos também essa mesma liberdade.

Viver impondo certa "distância psicológica" às pessoas e às coisas problemáticas, seja entes queridos difíceis, seja companheiros complicados, não significa que deixaremos de nos importar com eles, ou de amá-los ou de perdoar-lhes, mas sim que viveremos sem enlouquecer pela ânsia de tudo compreender, padecer, suportar e admitir.

Além do que, desligamento nos motiva ao perdão com maior facilidade, pelo grau de libertação mental, que nos induz a viver sintonizados em nossa própria vida e na plena afirmação positiva de que "tudo deverá tomar o curso certo, se minha mente estiver em serenidade".

Compreendendo por fim que, ao promovermos "desconexão psicológica", teremos sempre mais habilidade e disponibilidade para perceber o processo que há por trás dos comportamentos agressivos, o que nos permitirá não reagir da maneira como fazíamos anteriormente, mas sim notar como está sendo feita a nossa forma de nos relacionar com os outros. Isso nos leva, consequentemente, a começar a entender a "dinâmica do perdão".

Uma das mais eficientes técnicas de perdoar é retomar o vital contato com nós mesmos, desligando-nos de toda e qualquer "intrusão mental", para logo em seguida buscar uma real empatia com as pessoas. Deixamos de ser vítimas de forças fora de nosso controle para transformar-nos em pessoas que criam sua própria realidade de vida, baseadas não nas críticas e ofensas do mundo, mas na sua percepção da verdade e na vontade própria.

Teu lugar na vida

"...*Quando fordes convidados para bodas, não tomeis nelas o primeiro lugar, temendo que se encontre entre os convidados uma pessoa mais considerada que vós, e que aquele que vos tiver convidado não venha vos dizer: Dai vosso lugar a este...*"

"*...todo aquele que se eleva será rebaixado, e todo aquele que se rebaixa será elevado.*"

(Cap. VII, item 5.)

Querendo ilustrar suas prédicas, como sempre de modo claro e compreensível, Jesus de Nazaré considerava, certa ocasião, como os convidados de uma festividade se comportavam precipitadamente, na ânsia de tomar os lugares principais da mesa, com isso desrespeitando os princípios básicos do bom senso e da educação.

Qual o teu lugar à mesa? Qual a tua posição no universo de ti mesmo? Essa é a grande proposta feita pelo Mestre nesta parábola.

Será que o lugar que ocupas hoje é teu mesmo? Ou influências externas te levam a direções antagônicas de acordo com o teu modo de pensar e agir?

Tens escutado a voz da alma, que é Deus em ti, ou escancarado teus ouvidos às opiniões e conceitos dos outros?

Nada pior do que te sentires deslocado na escola, profissão, círculo social ou mesmo entre familiares, porque deixas parentes, amigos, cônjuges e companheiros pensarem por ti, não permitindo que Deus fale contigo pelas vias inspirativas da alma.

Essa inadaptação que sentes é fruto de teu deslocamento íntimo por não acreditares em tuas potencialidades. Achas-te incapaz, não por seres realmente, mas porque te fazes surdo às tuas escolhas e preferências oriundas de tua própria essência.

Se permaneceres nesse comportamento volúvel, apontando frequentemente os outros como responsáveis pela tua inadequação e conflitos, porque não assumes que és uma folha ao vento entre as vontades alheias, te sentirás sempre um solitário, ainda que rodeado por uma multidão.

Porém, se não mais negares sistematicamente que tuas ações são, quase na totalidade, frutos do consenso que fizeste do somatório de conselhos e palpites vários, estarás sendo, a partir desse instante, convidado a sentar no teu real lugar, na mesa da existência.

Por fim, perceberás com maior nitidez quem é que está movimentando tuas decisões e o quanto de participação tens nas tuas opções vivenciais.

No exame da máxima "todo aquele que se eleva será rebaixado e todo aquele que se rebaixa será elevado", vale considerar que não é a postura de se "dar ares" de humildade ou a de se rebaixar de forma exagerada e humilhante que te poderá levar à conscientização plena da tua localização dentro de ti mesmo. Sintonizando-te na verdadeira essência da humildade, que é conceituada como "olhar as coisas como elas são realmente", e percebendo que a tua existência é responsabilidade unicamente tua, é que tu serás tu mesmo.

Ser humilde é auscultar a origem real das coisas, não com

os olhos da ilusão, mas com os da realidade, despojando-se da imaginação fantasiosa de uma ótica mental distorcida, nascida naqueles que sempre acham que merecem os "melhores lugares" em tudo.

Vale considerar que, por não estarmos realizando um constante exercício de auto-observação, quase sempre deduzimos ou captamos a realidade até certo ponto e depois concluímos o restante a nosso bel-prazer, criando assim ilusões e expectativas desgastantes que nos descentralizam de nossos objetivos.

Quem encontrou o seu lugar respeita invariavelmente o lugar dos outros, pois divisa a própria fronteira e, consequentemente, não ultrapassa o limite dos outros, colocando na prática o "amor ao próximo".

Para que aches o teu lugar, é necessário que tenhas uma "simplicidade lúcida", e o despojar dos teus enganos e fantasias fará com que encontres a autêntica humildade.

Para que não tenhas que ceder teu lugar a outro, é indispensável que vejas as coisas como elas são realmente e que uses o bom senso como ponto de referência para o teu aprimoramento e para a tua percepção da verdade como um todo.

Procura-te em ti mesmo: eis a possibilidade de sempre achares o lugar que te pertence perante a Vida Excelsa.

Eu não merecia

"...   *or que uns nascem na miséria e outros na opulência, sem nada terem feito para justificar essa posição? Por que para uns nada dá certo, enquanto que para outros tudo parece sorrir?..."*

"...As vicissitudes da vida têm, pois, uma causa, e, uma vez que Deus é justo, essa causa deve ser justa. Eis do que cada um deve compenetrar-se bem..."

(Cap. V, item 3.)

Assumir total responsabilidade por todas as coisas que acontecem em nossa vida, incluindo sentimentos e emoções, é um passo decisivo em direção a nossa maturidade e crescimento interior.

A tendência em acusar a vida, as pessoas, a sociedade, o mundo enfim, é tão antiga quanto o gênero humano; e muitos de nós crescemos aprendendo a raciocinar assim, censurando todos e tudo, nunca examinando o nosso próprio comportamento, que na verdade decide a vida em nós e fora de nós.

Assimilamos o "mito do vitimismo" nas mais remotas religiões politeístas, vivenciadas por todos nós durante as várias encarnações, quando os deuses temperamentais nos premiavam ou castigavam de conformidade com suas decisões arbitrárias. Por termos sido vítimas nas mãos dessas divindades, é que passamos a usar as técnicas para apaziguar as iras divinas, comercializando favores com oferendas a Júpiter no Olimpo, a Netuno nas atividades do oceano, a Vênus nas áreas afetivas e a Plutão, deus dos mortos e dos infernos.

Aprendemos a justificar com desculpas perfeitas os nossos desastres de comportamento, dizendo que fomos desamparados pelos deuses, que a conjunção dos astros não estava propícia, que a lua era minguante e que nascemos com uma má estrela.

Ainda muitos de nós acreditamos ser vítimas do pecado de Adão e Eva e da crença de um deus judaico que privilegia um povo e despreza os outros, surgindo assim a ideia da hegemonia divina das nações.

As pessoas que acreditam ser "vítimas da fatalidade" continuam a apontar o mundo exterior como culpado dos seus infortúnios. Recusam absolutamente reconhecer a conexão entre seus modos de pensar e os acontecimentos exteriores. São influenciadas pelas velhas crenças e se dizem prejudicadas pela força dos hábitos, pelas cargas genéticas e pela forma como foram criadas, afirmando que não conseguem ser e fazer o que querem. Não sabem que são arquitetos de seu destino, nem se conscientizam de que o passado determina o presente, o qual, por sua vez, determina o futuro.

A vítima sente-se impotente e indefesa em face de um destino cruel. Sem força nem capacidade de mudar, repetidas vezes afirma: "Eu não merecia isto", "A vida é injusta comigo", nunca lhe ocorrendo, porém, que o seu jeito de ser é que materializa pessoas e situações em sua volta.

Defendem seus gestos e atitudes infelizes dizendo: "Meus problemas são causados por meu lar", "Os outros sempre se comportam desta forma comigo". Desconhecem que as causas dos problemas somos nós e que, ao renascermos, atraímos esse lar para aprendermos a resolver nossos conflitos. São os nossos comportamentos interiores que modificam o comportamento dos outros para conosco. Se somos, pois, constantemente maltratados é porque estamos constantemente nos maltratando e/ou maltratando alguém.

Ninguém pode fazer-nos agir ou sentir de determinada maneira sem a nossa permissão. Outras pessoas ou situações poderão estimular-nos a ter certas reações, mas somente nós mesmos determinaremos quais serão e como serão essas reações. As formas pelas quais reagimos foram moldadas pelas experiências em várias vidas e sedimentadas pela força de nossas crenças interiores – mensagens gravadas em nossa alma.

Portanto, precisamos assumir o comando de nossa vida e sair do posicionamento infantil de criaturas mimadas e frágeis, que reclamam e se colocam como "vítimas do destino".

Admitir a real responsabilidade por nossos atos e atitudes é aceitar a nossa realidade de vida – as metas que alteram a sina de nossa existência.

Em vez de atribuirmos aos outros e ao mundo nossas derrotas e fracassos, lembremo-nos de que "as vicissitudes da vida têm, pois, uma causa, e, uma vez que Deus é justo, essa causa deve ser justa".

A verdade

"... *ilatos, então, lhe disse: Sois, pois, rei? Jesus lhe replicou: Vós o dissestes; eu sou rei; eu não nasci nem vim a este mundo senão para testemunhar a verdade; qualquer que pertença à verdade escuta minha voz."*

(Cap. II, item 1.)

Não vemos a verdade, conforme afirmou Jesus Cristo, porque nossa mente trabalha sem estar ligada aos nossos sentidos e emoções mais profundos.

As ilusões nos impedem que realmente tenhamos os olhos de ver, e porque não buscamos a verdade, projetamos nos outros o que não podemos aceitar como nosso. Tentamos nos livrar de nossos próprios sentimentos atribuindo-os a outras pessoas. Adão disse a Deus: "Eu não pequei, a culpa foi da mulher que me tentou". Eva se desculpa perante o Criador: "Toda a discórdia ocorrida cabe à maldita serpente". Assim somos todos nós. Quando desconhecemos os traços de nossa personalidade, condenamos fortemente e responsabilizamos os outros por aquilo que não podemos admitir em nós próprios.

Nossa visão sobre as coisas pode enganar-nos, pode estar disforme sob determinados pontos de vista, pois em realidade ela se forjou entre nossas convicções mais profundas, sobre aquilo que nós convencionamos chamar de certo e errado, isto é, verdadeiro ou falso.

Na infância, por exemplo, se fomos repreendidos duramente por demonstrarmos raiva, se fomos colocados em situações vexatórias por aparentarmos medo, ou se fomos ridicularizados por manifestarmos afeto e carinho, acabamos aprendendo a reprimir essas emoções por serem consideradas feias, erradas e pecaminosas por adultos insensíveis e recriminadores.

Porém, não damos conta de que, ao adotarmos essa postura repressora, tornamo-nos criaturas inseguras e fracas e, a partir daí, começamos a não confiar mais em nós mesmos.

Se a nossa verdade não é admitida honestamente, como podemos nos aproximar da Verdade Maior?

Sentir medo ou raiva, quando houver necessidades autênticas, seja para transpor algum obstáculo, seja para vencer barreiras naturais, é perfeitamente compreensível, porque a energia da raiva é um importante "fator de defesa", e o medo é um prudente mediador em "situações perigosas".

Para que possamos encontrar a Verdade, à qual se referia Jesus, é preciso aceitar a nossa verdade, exercitando o "sentir" quanto às nossas emoções, e adequá-las corretamente na vida. A sugestão feliz é o equilíbrio e a integração de nossas energias íntimas, e nunca a repressão e o entorpecimento, nem tampouco a entrega incondicional simplesmente.

O que é a Verdade? Disse o Mestre: "Vim ao mundo para dar testemunho da Verdade; todo aquele que é da Verdade ouve a minha voz".

Cremos no que vemos, mas muitas vezes os órgãos dos sentidos nos enganam. Vejamos alguns exemplos:

A Terra parece parada; o arco-íris nada mais é do que

raios de sol atravessando gotículas d'água; e certas estrelas que vislumbramos nos céus já não existem, contudo, devido às distâncias enormes a serem percorridas, as suas luzes continuam aportando na atmosfera de nosso planeta, dando-nos a falsa impressão de vida real.

Cremos no que nos disseram, e, embora não sejam situações vivenciadas ou experimentadas por nós, aceitamos como "verdades absolutas", quando de fato eram "conceitos relativos".

Maneiras erradas de se ver a sexualidade, a religião, o casamento, as raças e as profissões distanciam-nos cada vez mais da realidade das situações e das criaturas com as quais convivemos.

Em vista disso, procuremos sintonizar-nos com os olhos espirituais, porquanto nossa percepção intuitiva é mais ampla e precisa que a visão física. E abramos as comportas de nossa alma, para captar as inspirações divinas que deliberam a vida em toda parte.

Somente assim estaremos mais perto de conhecer a Verdade à qual se referia o Mestre Jesus.

Pré-ocupação

"...Observai os pássaros do céu: eles não semeiam nem colhem..."
"....Observai como crescem os lírios dos campos: eles não trabalham nem fiam..."
"... não estejais inquietos pelo dia de amanhã, porque o dia de amanhã cuidará de si mesmo. A cada dia basta o seu mal."

(Cap. XXV, item 6.)

A estratégia da preocupação é nos manter distantes do momento presente, imobilizando as realizações do agora em função de coisas que poderão ou não acontecer.

Desperdiçamos, por consequência, tempo e energias preciosas, obcecados com os eventos do porvir, sobre os quais não temos qualquer tipo de comando, pois olvidamos que tudo que podemos e devemos dirigir é somente nossas próprias vidas.

São realmente diversas as preocupações sobre as quais não temos nenhum controle: a doença dos outros, a alegria dos filhos, o amor das pessoas, o julgamento alheio sobre nós, a morte de familiares e outras tantas. Podemos, porém, nos "pré-ocupar" o quanto quisermos com essas questões, que não traremos a saúde, a felicidade, o amor, a consideração ou mesmo o retorno à vida, porque todas elas são coisas que fogem às nossas possibilidades.

Outra questão é quando passamos por enormes desequilíbrios causados pelo desgaste emocional de nos ocuparmos antes do tempo certo com coisas e pessoas, o que ocasiona insônias, decepções e angústias pelo temor antecipado do que poderá vir a acontecer no amanhã.

Não confundamos "pré-ocupação" com "previdência", porque se preparar ou ser precavido para realizar planos para dias vindouros é tino de bom senso e lógica; mas prudência não é preocupação, porque enquanto uma é sensata e moderada, a outra é irracional e tolhe o indivíduo, prejudicando-o nos seus projetos e empreendimentos do hoje.

Nossa educação social estimula o vício do "pensamento preocupante", principalmente no convívio familiar, onde teve início o fato de relacionarmos preocupação com "dar proteção". Passamos a nos comportar afirmando: "Lógico que eu me preocupo com você, eu o amo", "Você tem que se preocupar com seus pais", "Quem tem filhos vive em constante preocupação".

Pensamos que estamos defendendo e auxiliando os entes queridos, quando na verdade estamos confinando-os e prejudicando-os por transmitir-lhes, às vezes, de modo imperceptível, medo, insegurança e pensamentos catastróficos.

"Não estejais inquietos pelo dia de amanhã, porque o dia de amanhã cuidará de si mesmo. A cada dia basta seu mal."

O Criador provê suas criaturas com o necessário, porquanto seria impossível a Natureza criar em nós uma necessidade sem nos dar meios para supri-la. "Vede os pássaros do céu, vede os lírios dos campos".

Além do mais, pedia-nos que fizéssemos observações de como a vida se comporta e que deixássemos de nos "pré-ocupar", convidando-nos a olhar para nossa criação divina que a todos acolhe.

O Mestre queria dizer com essas afirmativas que tudo o que vemos tem ligação conosco e com todas as partes do Universo e que somos, em realidade, participantes de uma Natureza comum. As mesmas causas que cooperam para o benefício de uns cooperam da mesma forma para o de outros. Quando há confiança, existe fé; e é essa fé que abre o fluxo divino para a manutenção e prosperidade de nossa existência, dando-nos juntamente a proteção que buscamos em todos os níveis de nossa vida.

Sacudir o pó

"...*Q*uando alguém não quiser vos receber, nem escutar
vossas palavras, sacudi, em saindo dessa casa ou
dessa cidade, o pó de vossos pés...*"

"...*Assim diz hoje o Espiritismo aos seus adeptos: não
violenteis nenhuma consciência; não forceis ninguém a
deixar sua crença para adotar a vossa...*"

(**Cap. XXV, itens 10 e 11.**)

Não nos influenciemos pelos feitos alheios. Nossas atitudes devem realmente nascer de nossas inspirações mais íntimas, e não constituir uma forma de "reagir" contra as atitudes dos outros.

Não permitamos que emoções outras determinem nosso modo peculiar de pensar e agir; caminhemos sobre nossas próprias pernas, determinando como "agir".

"Quando alguém não quiser vos receber, sacudi o pó de vossos pés". A recomendação de Jesus poderá ser assim interpretada: não devemos impor aos outros o constrangimento de convencê-los à nossa realidade, como se nossa maneira de traduzir as leis divinas fosse a melhor; nem achar que a Verdade é propriedade única, e que somente coubesse a nós a posse exclusiva desse patrimônio.

Em muitas ocasiões, a título de aconselhar melhores opções e diretrizes, no sentido de esclarecer e priorizar a seleção de atitudes dos outros, que, na verdade caberia a eles próprios desempenhar, nós extrapolamos nossas reais funções e limites, transformando o que poderia ser esclarecimento e orientação em abuso e ocupação indevida dos valores e domínios dos indivíduos.

Sentimos necessidade de "corrigir" opiniões, "indicar" caminhos, "induzir" experiências, privando as pessoas de exercer opções e de vivenciar suas próprias experiências. Deixando-as cair e se levantar, amar e sofrer, estamos, ao contrário, permitindo que elas mesmas possam angariar seus próprios conhecimentos e, dessa forma, estruturar sua maturação e crescimento pessoal.

"Deixar casas e cidades que não nos ouvem as palavras" é demonstrar que não temos a pretensão de únicos possuidores da revelação divina e que, não fosse nossa intermediação, as criaturas estariam desprovidas de outros canais de instrução e conhecimento divino.

"Reter o pó em vossos pés" é não ter a visão da imensidade e diversidade das possibilidades universais, que apoiam sempre as criaturas de conformidade com sua idade astral e sempre no momento propício para seu crescimento íntimo.

A Vida Maior tem inúmeras vias de inspiração e revelação, a fim de conduzir os indivíduos a seu desenvolvimento espiritual; portanto, não devemos nos arvorar em indispensáveis dignitários divinos.

Lancemos as sementes sem a pretensão de aplausos e reconhecimentos, mesmo porque talvez não haja florescimento imediato, mas na terra fértil dos sentimentos humanos haverá um dia em que o campo produzirá a seu tempo.

Ao aceitarmos as pessoas como indivíduos de personalidade própria, respeitando suas opiniões, ideias e conceitos, até mesmos seus preconceitos, estaremos dando a elas um fundamental apoio para que escutem o que temos para dizer ou esclarecer, deixando depois que elas mesmas, conforme lhes convier, mudem ou não suas diretrizes vivenciais.

Talvez o servo imprudente, arraigado no orgulho, esperasse louros dourados de consideração e entendimento de todos os que o escutassem, e que fosse amplamente compreendido em suas intenções, mas por enquanto, na Terra, o plantio é ainda difícil e as colheitas não são generosas.

Há muitas criaturas intransigentes e rigorosas que não entendem, impõem; não ensinam, pregam; não amam, manipulam; não respeitam, criticam; e por não usarem de sinceridade é que fazem o gênero de "suposta santidade".

Portanto, se não formos bem acolhidos nos labores que desempenhamos na Seara de Jesus, silenciemos sem qualquer "reação" aos contratempos e aguardemos as providências das "Mãos Divinas".

Nesse afã, prossigamos convictos de nosso ideal de amor, palmilhando, entre as realizações porvindouras rumo ao final feliz, nosso próprio caminho, cujo mapa está impresso em nosso coração.

Olhando para trás

"... Tal é aquele que, tendo feito mal sua tarefa, pede para recomeçá-la a fim de não perder o benefício do seu trabalho..."

"...Rendamos graças a Deus que, na sua bondade, concede ao homem a faculdade da reparação e não o condena irrevogavelmente pela primeira falta."

(Cap. V, item 8.)

Culpa quer dizer paralisação das nossas oportunidades de crescimento no presente em consequência da nossa fixação docntia em comportamentos do passado.

Quem se sente culpado se julga em *peccatum*, palavra latina que quer dizer "pecado ou culpa". Logo, todos nós vestimos a densa capa da culpa desde a mais tenra infância.

Certas religiões utilizam-se frequentemente da culpa como meio de explorar a submissão de seus fiéis. Usam o nome de Deus e suas leis como provedores do mecanismo de punição e repressão, afirmando que garantem a salvação para todos aqueles que forem "tementes a Deus".

Esquecem-se, no entanto, de que o Criador da Vida é infinita Bondade e Compreensão e que sempre vê com os "olhos do amor", nunca punindo suas criaturas; na realidade, são elas mesmas que se autopenalizam, por não se renovarem nas oportunidades do livre-arbítrio e por ficarem, no presente, agarradas aos erros do passado.

Nossa atual cultura ainda é a mais grave geradora de culpa na formação educacional dos relacionamentos, seja no social, seja no familiar. No recinto do lar encontramos muitos pais induzindo os filhos à culpa: "Você ainda me mata do coração!", tática muito comum para manter sob controle uma pessoa rebelde; ou dos filhos que aprenderam a tramoia da culpa, para obter aquilo que desejam: "Os pais de minhas amigas deixam-nas fazer isso".

Culpar não é um método educativo, nem tampouco gerador de crescimento, mas um meio de induzir as pessoas a não se responsabilizar por seus atos e atitudes.

Em muitas oportunidades encontramos indivíduos que teimam em culpar os outros, acreditando ser muito cômodo representar o papel de injustiçados e perseguidos. Colocam seus erros sobre os ombros das pessoas, da sociedade, da religião, dos obsessores, do mundo enfim. No entanto, só eles poderão decidir se reconhecem ou não suas próprias falhas, porque apenas dessa forma se libertarão da prisão mental a que eles mesmos se confinaram.

Dar importância às culpas é focalizar fatos passados com certa regularidade, sempre nos fazendo lembrar de alguma coisa que sentimos, ou deixamos de sentir, falamos ou deixamos de falar, permitimos ou deixamos de permitir, desperdiçando momentos valiosos do agora, quando poderíamos operar as verdadeiras bases para nosso desenvolvimento intelecto-moral.

"Ninguém que lança mão ao arado e olha para trás é apto para o reino de Deus."[1]

Olhando para trás, a alma não caminha resoluta e, consequentemente, não se liberta dos grilhões do passado.

Todos nós fomos criados com possibilidades de acertar e

---

[1] Lucas 9:62.

errar; por isso, temos necessidade de exercitar para aprender as coisas, de colocar as aptidões em treino, de repeti-las várias vezes entre ensaios e erros.

A culpa se estrutura nos alicerces do perfeccionismo. Alimentamos a ideia de que não seremos suficientemente bons se não fizermos tudo com perfeição. Esquecemo-nos, porém, de que todo o nosso comportamento é decorrente de nossa idade evolutiva e de que somos tão bons quanto nos permite nosso grau de evolução.

A todo momento, fazemos o melhor que podemos fazer, por estarmos agindo e reagindo de acordo com nosso "senso de realidade". O "arrependimento" resulta do quanto sabíamos fazer melhor e não o fizemos, enquanto que a culpa é, invariavelmente, a exigência de que deveríamos ter feito algo, porém não o fizemos por ignorância ou impotência.

A Divina Providência sempre "concede ao homem a faculdade da reparação e não o condena irrevogavelmente". Não há razão, portanto, para culpar-se sistematicamente, pois ele será cobrado pelo "muito" ou pelo "pouco" que lhe foi dado, ou mesmo, "muito se pedirá àquele que muito recebeu"[2].

Assevera Paulo de Tarso: "a mim, que fui antes blasfemo, perseguidor e injuriador, mas alcancei misericórdia de Deus, porque o fiz por *ignorância*, e por ser *incrédulo*"[3]. Tem-se, dessa forma, um ensinamento claro: a culpa é sempre proporcional ao grau de lucidez que se possui, isto é, nossa ignorância sempre nos protege.

Não guardemos culpa. Optemos pelo melhor, modificando nossa conduta. Reconheçamos o erro e não olhemos para trás, e sim, para frente, dando continuidade à nossa tarefa na Terra.

---

[2] Lucas 12:48.
[3] I Timóteo 1:13.

Desbravando mistérios

"*Então Jesus disse estas palavras: Eu vos rendo glória, meu Pai, Senhor do Céu e da Terra, por haverdes ocultado essas coisas aos sábios e aos prudentes, e por as haver revelado aos simples e aos pequenos.*"

(Cap. VII, item 7.)

Vale considerar que, quando Jesus afirmou que Deus havia ocultado os mistérios aos sábios e aos prudentes e os tinha revelado aos simples e pequenos, em verdade observava que certos homens de cultura e intelectualidade achavam-se perfeitos eruditos, não precisando de mais nada além do seu cabedal de instrução.

Por sua vez, orgulhosos porque retinham vários títulos, acreditavam-se superiores e melhores que os outros, fechando assim as comportas da alma às fontes inspirativas e intuitivas do plano espiritual.

Porém, os "pequenos e simples", aos quais se reportava o Mestre, são aqueles outros que, devido à posição flexível em face da vida, descortinam novas ideias e conceitos, absorvendo descobertas e pesquisas de todo teor, selecionando as produtivas, para o seu próprio mundo mental. Por não serem ortodoxos, ou seja, conservadores intransigentes, e sim afeiçoados à reflexão constante das leis eternas e ao exercício da fé raciocinada, reúnem melhores condições de observar a vida com os "olhos de ver".

São conhecidos pela "maturidade evolutiva", que é avaliada levando-se em conta seus comportamentos nos mais variados níveis de realização, entre diversos setores (físico, mental, emocional, social e espiritual) da existência humana.

Pelo modo como agem e como se comportam diante de problemas e dificuldades, "os pequenos e os simples" têm uma noção exata de sua própria maturidade espiritual. Além disso, sentem uma sensação enorme de serenidade e paz pela capacidade, pela eficiência e pelos atributos pessoais, e por se comportarem dentro do que esperavam de si mesmos.

Simples são os descomplicados, os que não se deixam envolver por métodos extravagantes, supostamente científicos, e por critérios de análise rígida. Simples são os que sempre usam a lógica e o bom senso, que nascem da voz do coração.

São aqueles que não entronizam sua personalidade megalomaníaca atrás de mesas douradas e que não penduram pergaminhos para a demonstração pública de exaltação do próprio ego.

Os "sábios" a quem o Senhor se referia eram os dominadores e controladores da mente humana, que desempenhavam papéis sociais, usando máscaras diversas segundo as situações convenientes. Estão a nossa volta: são criaturas sem originalidade e criatividade, porque não auscultam as vibrações uníssonas que descem do Mais Alto sobre as almas da Terra.

Não suportam a mais leve crítica – mesmo quando construtiva – de seus atos, feitos, raciocínios e ideais; por isso, deixam de analisá-la para comprovar ou não sua validade.

Por se considerarem "donos da verdade", reagem e se irritam, esquecendo-se de que esses comentários poderiam, em alguns casos, proporcionar-lhes melhores reflexões com ampliação da consciência.

Vale considerar que esses "sábios" não se lançam em novas amizades e afeições, pois conservam atitudes preconceituosas de classe social, de cor, de religião e de outras tantas, amarrando-se aos exclusivismos egoísticos.

Não obstante, o Mestre Jesus se reportava às luzes dos céus, que agilizariam os simples a pensar com mais lucidez, a se expressar com maior naturalidade, para que pudessem desbravar os mistérios do amor e das verdades espirituais, transformando-se no futuro nos reais missionários das leis eternas.

"Simples" são os espontâneos, porque abandonaram a hipocrisia e aprenderam a se desligar quando preciso do mundo externo, a fim de deixar fluir amplamente no seu mundo interior as correntezas da luz; são todos aqueles que prestam atenção no "Deus em si" e entram em contato com Ele e consigo mesmo; são, enfim, aqueles que já se permitem escutar sua fonte interior de inspiração e, ao mesmo tempo, confiar nela plenamente.

Tempo certo

"... $\mathcal{A}$ *quele que semeia saiu a semear; e, enquanto semeava, uma parte da semente caiu ao longo do caminho..."*

"... Mas aquele que recebe a semente numa boa terra é aquele que escuta a palavra, que lhe presta atenção e que dá fruto, e rende cento, ou sessenta, ou trinta por um."

(Cap. XVII, item 5.)

Na vida, não existe antecipação nem adiamento, somente o tempo propício de cada um.

A humanidade, em geral, recebe as sementes do crescimento espiritual a todo o instante. Constantemente, a "Organização Divina" emite ideias de progresso e desenvolvimento, devendo cada indivíduo absorver a sementeira de acordo com suas possibilidades e habilidades existenciais.

A Natureza nos presenteia com uma diversidade incontável de flores, que nos encantam e fascinam. Certamente, não as depreciaríamos apenas por achar que vários botões já deveriam ter desabrochado dentro de um prazo determinado por nós, nem as repreenderíamos por suas tonalidades não serem todas iguais conforme nossa maneira de ver.

Nem poderíamos sequer compará-las com outras flores de diferentes jardins, por estarem ou não mais viçosas. Deixemos que elas possam germinar, crescer e florir, segundo sua natureza e seu próprio ritmo espontâneo. Isso será sempre mais óbvio.

Parece racional que ofereçamos a quem amamos o mesmo consentimento, porque cada ser tem seu próprio "marco individual" nas estradas da vida, e não nos é permitido violentar sua maneira de entender, comparando-o com outros, ou forçando-o com nossa impaciência para que "cresçam" e "evoluam", como nós acharíamos que deveria ser.

Cada um de nós possui diferenças exteriores, tanto no aspecto físico como na forma de se vestir, de sorrir, de falar, de olhar ou de se expressar. Por que então haveríamos de florescer "a toque de caixa"?

Nossa ansiedade não faz com que as árvores deem frutos instantâneos, nem faz com que as roseiras floresçam mais céleres. Respeitemos, pois, as possibilidades e as limitações de cada indivíduo.

Jesus, por compreender a imensa multiformidade evolucional dos homens, exemplificou nessa parábola a "dissemelhança" das criaturas, comparando-as aos diversos terrenos nos quais as sementes da Vida foram semeadas.

As que caíram ao longo do caminho, e os pássaros as comeram, representam as pessoas de mentalidade bloqueada e restringida, que recusam todas as possibilidades de conhecimento que as conteste, ou mesmo, qualquer forma que venha modificar sua vida ou interferir em seus horizontes existenciais. São seres de compreensão e aceitação diminuta ou quase nula. São comparáveis aos atalhos endurecidos e macerados pela ação do tempo.

Outras sementes caíram em lugares pedregosos, onde não havia muita terra, mas logo brotaram. Ao surgir o sol, queimaram-se porque a terra era escassa e suas raízes não eram suficientemente profundas.

Foram logo ressecadas porque não suportaram o "calor da

prova"; e, por serem qualificadas como pessoas de convicção "flutuante", torraram rapidamente seus projetos e intenções.

Nossas bases psicológicas foram recolhidas nas experiências do ontem. São raízes do passado que nos dão manutenção no presente para ir adiante, nos processos de iluminação interior. Quando os "caules" não são suficientemente profundos e vetustos, há bloqueios tanto em nossa consciência intelectual como na emocional. Um mecanismo opera de forma a assimilar somente o que se pode digerir daquela informação ou ensinamento recebido.

Assim, a disponibilidade de perceber a realidade das coisas funciona nas bases do "potencial" e da "viabilidade evolutiva" e, portanto, impor às pessoas que "sejam sensíveis" ou que "progridam", além de desrespeito à individualidade, é fator perigoso e destrutivo para exterminar qualquer tipo de relacionamento.

Os espinheiros que, ao crescer, abafaram as sementes representam as "ideias sociais" que impermeabilizam a mentalidade dos seres humanos, pois, no tempo do Mestre, as leis do "Torah" asfixiavam e regulamentavam não somente a vida privada, mas também a pública.

Os indivíduos que não pensam por si mesmos acabam caindo nos domínios das "normas e regras", sem poder erguer em demasia a sua mente, restrita pelas ideias vigentes, o que os sentencia a viver numa "frustração grupal", visto que seu grau de raciocínio não pode ultrapassar os níveis permitidos pela comunidade.

Jesus de Nazaré combateu sistematicamente os "espinhos da opressão" na pessoa daqueles que observavam com rigor rituais e determinações das leis, em detrimento da pureza interior. Dessa forma, Ele desqualificou todo espírito de casta entre as criaturas de sua época.

As demais sementes, no entanto, caíram em boa terra e deram frutos abundantes. O que é um "solo fértil"?

Nossos patrimônios de entendimento, de compreensão e de discernimento não ocorrem por acaso, porquanto nenhum aprendizado nos envolverá profundamente se não estivermos dotados de competência e habilidades propiciadoras.

A boa absorção ou abertura de consciência acontece somente no momento em que não nos prendemos na forma. Aprofundarmo-nos no conteúdo real quer dizer: "Quem não quebra a noz, só lhe vê a casca". Mas para "quebrar a noz" é preciso senso e noção, base e atributos que requerem tempo para se desenvolverem convenientemente. A consciência da criatura, para que seja receptiva, precisa estar munida de "despertamento natural" e "amadurecimento psicológico".

Reforçando a ideia, examinemos o texto do apóstolo Marcos, onde encontramos: "porque a terra por si mesma frutifica, primeiro a erva, depois a espiga, e por último o grão cheio na espiga"[1].

O Mestre aceitava plenamente a diversidade humana. Ele se opunha a todo e qualquer "nivelamento psicológico" e, portanto, lançou a Parábola do Semeador, a fim de que entendêssemos que o melhor apoio que prestaríamos a nossos companheiros de jornada seria simplesmente esperar em silêncio e com paciência.

Portanto, compreendamos que a nós, somente, compete "semear"; sem esquecer, porém, que o crescimento e a fartura na colheita dependem da "chuva da determinação humana" e do "solo generoso" da psique do ser, onde houve a semeadura.

---

[1] Marcos 4:28.

Quem são os regenerados

" *Os mundos regeneradores servem de transição entre os mundos de expiação e os mundos felizes; a alma que se arrepende neles encontra a calma e o repouso, acabando de se depurar. Sem dúvida, nesses mundos, o homem está ainda sujeito às leis que regem a matéria...* "

(Cap. III, item 17.)

Regenerados são todos aqueles que aprenderam a compartilhar deste mundo, contribuindo sempre para a sua manutenção e continuação, e que ao mesmo tempo, por perceberem que recebem à medida que doam, sustentam com êxito esse fenômeno de "trocas incessantes". São os homens que descobriram que todos estamos ligados por inúmeras formas de vida, desde o micro ao macrocosmo, e que os ciclos da natureza é que vitalizam igualmente plantas, animais e eles próprios. Portanto, respeitam, cooperam e produzem, não pensando somente em si mesmos, mas na coletividade.

Sabem que ao mesmo tempo, sozinhos ou juntos, somos todos viajantes nas estradas da vida universal, em busca de crescimento e perfeição.

Voltaram-se para si mesmos e descortinaram a presença divina em sua intimidade e, em vista disso, agora não buscam somente a exterioridade da vida, mas a abundância da vida íntima, fazendo quase sempre uma jornada cósmica para dentro do seu universo interior, na intimidade da própria alma.

Regenerados são os seres humanos que notaram que não podem modificar o mundo dos outros, mas apenas o seu próprio mundo. Que os indivíduos, lugares e ambientes não podem ser mudados, e que as únicas coisas que podem e devem ser alteradas são suas atitudes pessoais, reações e atos relacionados a esses mesmos indivíduos, lugares e ambientes de sua vida.

Conseguiram angariar sabedoria em decorrência das vivências anteriores. Diferenciam o que lhes cabe fazer e, por conseguinte, o que são deveres dos outros. Só fazem, portanto, autojulgamento, deixando a cada um realizar sua própria avaliação.

Na realidade, trazem certas competências e destrezas alicerçadas no poder de observação, por já possuírem uma considerável "coleta de dados". São consideradas criaturas sábias, por seus constantes *insights*, isto é, compreensões súbitas diante de decisões e resoluções da vida.

São homens que adquiriram a habilidade de resolver suas dificuldades com recursos novos e criativos, usando maneiras inovadoras de solucionar os acontecimentos do cotidiano. Reconhecem que a vida é uma sucessão de ocorrências interdependentes, por possuírem a capacidade de observar as relações existenciais. Sempre lançam mão dos fatos passados e os entrelaçam aos atuais, chegando à profunda compreensão das situações e de seus problemas.

Descortinaram horizontes novos, porque reservaram no dia a dia algum tempo para se conhecer melhor, anotando ideias e sensações a fim de esclarecer para si próprios o porquê de sentimentos desconexos, emoções variáveis e ações contraditórias, visto que tal conhecimento os ajudará a viver de forma mais serena e previsível.

Obtiveram transformações íntimas, surpreendentes, pois conseguiram se ver como realmente são.

Retiraram máscaras, que inicialmente lhes davam um certo conforto e segurança, já que depois, eles mesmos reconheceram que elas os aprisionavam por entre grilhões e opressões.

Aprenderam que não vale a pena representar inúmeros papéis, como se a vida fosse um grande teatro, mas sobretudo assumir sua própria missão na Terra, porque constataram que cada um tem uma quota própria de contribuição perante a Criação, e que não nasce no Planeta nenhuma criatura cuja tarefa não tenha sido predeterminada.

Regenerados são os reabilitados à luz das verdades eternas. Adotaram Jesus como o "Sábio dos Sábios" e, por seguirem Seus passos, fazem sempre o seu melhor. Reconheceram que o erro nunca será motivo de abatimento e paralisação e sim de estímulo ao aprendizado. Por isso, seguem adiante, pacientes consigo mesmos e com os outros, ganhando cada vez mais autonomia e discernimento ante as leis de amor que regem o Universo.

Servilismo

"...$\mathcal{A}$ *obediência e a resignação, duas virtudes com-panheiras da doçura, muito ativas, embora os homens as confundam erradamente com a negação do sentimento e da vontade. A obediência é o consentimento da razão, a resignação é o consentimento do coração..."*
(Cap. IX, item 8.)

A subserviência pode esconder falta de iniciativa, passi-vidade indesejável, complexo de inferioridade e uma imaturi-dade de personalidade.

Obedecer não é negar a vontade e o sentimento, mas exer-citar o próprio poder de escolha para cooperar com os outros na produção de algo maior e melhor do que aquilo que se faria sozinho.

Assim considerando, a obediência deve ser uma postura interna, racional, lógica, compreensiva e a mais consciente possível.

Os problemas do servilismo ou da subserviência nas cria-turas foram gerados em muitas circunstâncias na infância, quando pais instigavam o medo e a ameaça como forma de obter obediência dos filhos. Trata-se de um propósito cômodo e muito rápido, mas contra-indicado na complexa tarefa de educar.

Adultos que herdaram tal formação familiar, se não forem espíritos maduros e decididos, com farta bagagem espiritual e valores desenvolvidos, poderão viver com essa "intrusão educacional". Esse modo forçado de obedecer aos outros desenvolve neles uma postura de anulação das próprias metas, pois substitui sua independência pela vontade alheia.

Outros tantos trazem das vivências anteriores sentimentos de culpa por abandonarem sem nenhuma consideração entes queridos. São verdadeiros "clichês mentais" arquivados no inconsciente profundo, que detonam em forma de obediência e servidão compulsória, para compensar o passado infeliz.

A Psicologia, por seu turno, assevera que certos indivíduos desequilibrados por conflitos herdados na infância trazem enraizados em sua personalidade uma necessidade enorme de satisfazer seus "sentimentos de mando" e "de autoridade", sempre impondo ordens, métodos e regras que, obedecidos passivamente, lhes trazem um enorme prazer e satisfação.

Essas pessoas ao entrarem em contato com personalidades submissas, compensarão sua neurose de "dar ordens", e em muitos casos, somam ao seu impulso agressivo a "neurose de autoridade", satisfazendo assim suas características sádicas, dominando e afligindo essas criaturas servis, por anos e anos.

O ser humano que se sujeita a ordens de comando vive constantemente numa confusão mental, absorvendo na atmosfera íntima uma sensação de "não ter agradado o suficiente". Numa tentativa inútil de cumprir e concordar com ordens recebidas, cai quase sempre na decepção, na revolta e na indignação, pois esperava receber amor e consideração pela obediência executada.

Muitos de nós tivemos pais que nunca se importaram

em nos "impor limites", fatores indispensáveis para que a criança aprenda a conhecer o "não", evitando a ilusão de que terá tudo a seu dispor e que jamais encontrará obstáculos e dificuldades.

Viver querendo ter sempre nossos desejos realizados e executados é "exigir obediência", a qualquer preço, daqueles que nos cercam.

Paralelamente, com o passar do tempo, essa postura pode se tornar inversa. Ao invés de exigirmos sujeição de todos os nossos pontos de vista, passamos a "nunca dizer não", sempre tentando satisfazer os outros, sempre dizendo "sim", ainda que precisemos ir às últimas consequências.

Por outro lado, uma pessoa que "nunca diz não" só pode ser "desonesta", porque diz que "faz" e "dá" muito mais do que "tem" e "pode", expondo-se sempre ao risco de ser tachada de hipócrita e, além de tudo, de não realizar sua própria missão na Terra, porque se arvorou em correr atrás das realizações dos outros.

"A obediência é o consentimento da razão". Quem consente alguma coisa permite que se faça ou não, conforme achar conveniente à sua maneira de agir e pensar. "A resignação é o consentimento do coração", ou melhor, os sentimentos falarão mais alto e a criatura abdicará o seu direito em favor de alguém, ou de uma causa, por livre e espontânea vontade, já que o direito era de sua competência.

Efetivamente, a obediência e a resignação, virtudes às quais Jesus de Nazaré se referia, não são aquelas que "os homens as confundem erradamente com a negação do sentimento e da vontade", conforme bem define o espírito Lázaro no texto em reflexão.

Lembremo-nos, portanto, de que servir nem sempre será considerado virtude, visto que essa postura de nossa parte pode simplesmente estar camuflando uma obrigação compulsiva de agradar a todos, bem como pode estar desviando-nos de nossa real missão na Terra, que é crescer e amadurecer espiritualmente.

Extensão da alma

"...*mai, pois, vossa alma, mas cuidai também do corpo, instrumento da alma; desconhecer as necessidades que são indicadas pela própria Natureza é desconhecer a lei de Deus. Não o castigueis pelas faltas que o vosso livre-arbítrio fê-lo cometer, e das quais ele é tão irresponsável como o é o cavalo mal dirigido, pelos acidentes que causa...*"

(Cap. XVII, item 11.)

Ele se densificou moldado por nossos pensamentos, obras e crenças mais íntimas.

Extensão da própria alma, ele é a parte materializada de nós mesmos e que nos serve de conexão com a vida terrena.

Há quem o despreze, dizendo que todas as tentações e desastres morais provêm de suas estruturas intrínsecas, e o culpe pelas quedas de ordem sexual e pelos transtornos afetivos, esquecendo-se de que ele apenas expressa a nossa vida mental.

Foi considerado, particularmente na Idade Média, como o próprio instrumento do demônio, que impunha à alma, nele encarcerada, o cometimento dos maiores desatinos e desastres morais.

Se cuidado e bem tratado, era isto atribuído aos vaidosos e concupiscentes; se macerado e flagelado, era motivo de regozijo dos tementes a Deus e cultivadores da candidatura ao reino dos céus. Essas crenças neuróticas do passado afiançavam que, quanto maiores as cinzas que o cobrissem e quanto mais agudas as dores que o afligissem, mais alto o espírito se sublimaria, alcançando assim os píncaros da evolução.

Porém, não é propriamente nosso corpo o responsável pelas intenções, emoções e sentimentos que ressoam em nossos atos e atitudes, mas nós mesmos, almas em processo de aprendizagem e educação.

Nossos pensamentos determinam nossa vida e, consequentemente, são eles que modelam nosso corpo. Portanto, somos nós, fisicamente, o produto do nosso eu espiritual.

A crença em anjos rebeldes destinados eternamente a induzir as almas a pecar, tira-nos a responsabilidade pelas próprias ações, e ficamos temporariamente na ilusão de que os outros é que comandam nossos feitos, atuações e inclinações, e não nós mesmos, os verdadeiros dirigentes de nosso destino.

Corpo e alma unidos a serviço da evolução, eis o que determina a Natureza.

Nosso físico não é apenas um veículo usável, mas também a parte mais densa da alma. Não o separemos, pois, de nós mesmos, porque, apesar de sua matéria ficar na Terra no processo da morte física, é nele que avaliamos as sensações do abraço de mãe, do ósculo afetivo e das mãos carinhosas dos amigos. Através dele é que podemos identificar angústias e aflições, que são bússolas a nos indicar que, ou quando, devemos mudar nossa maneira de agir e pensar, para que possamos percorrer caminhos mais adequados do que os que vivemos no momento.

A lei divina não nos pede sofrimento para que cresçamos e evoluamos; pede-nos somente que amemos cada vez mais. Cuidemos, pois, de nosso corpo e o aceitemos plenamente. Ele é o instrumento divino que Deus nos concede para que possamos aprender e amar cada vez mais.

Simplesmente um sentido

"...*Admira-se, por vezes, que a mediunidade seja concedida a pessoas indignas e capazes de fazer mau uso dela...*"

"*... a mediunidade se prende a uma disposição orgânica da qual todo homem pode estar dotado, como a de ver, de ouvir, de falar...*"

(Cap. XXIV, item 12.)

Mediunidade é uma percepção mental por meio da qual a alma sutiliza, estimula e aguça seus sentidos, a fim de penetrar na essência das coisas e das pessoas. É uma das formas que possuímos para sentir a vida, é o "poder de sensibilização" para ver e ouvir melhor a excelência da criação divina.

Faculdade comum a todos, é nosso sexto sentido, ou seja, o sentido que capta, interpreta, organiza, percebe e sintetiza os outros cinco sentidos conhecidos.

Nossa humanidade, à medida que aprende a desenvolver suas impressões sensoriais básicas, automaticamente desenvolve também a mediunidade, como consequência. Também conhecida como intuição ou inspiração, é ela que define nossa interação com o mundo físico-espiritual.

As reflexões direcionadas para as áreas morais e intelectuais são muito importantes, pois abrem contatos com o "perceber" ou com o "captar", o que nos permite ouvir amplamente as "sonoridades espirituais" que existem nas faixas etéreas, das diversas dimensões invisíveis do Universo.

Por outro lado, a mediunidade nunca deverá ser vista como "láurea" ou "corretivo", mas unicamente como "receptor sensório" – produto do processo de desenvolvimento da natureza humana.

Foram imensos os tempos da ignorância, em que a ela atribuíam o epíteto de "dádiva dos deuses" ou "barganha demoníaca"; na atualidade, porém, está cada vez mais sendo vista com maior naturalidade, como um fenômeno espontâneo ligado a predisposições orgânicas dos indivíduos.

Ver, todos nós vemos, a não ser que tenhamos obstrução dos órgãos visuais; já as formas de ver são peculiares a cada sensitivo. Escutar é fenômeno comum; no entanto, a capacidade de ouvir além das aparências das coisas e das palavras articuladas é fator de lucidez para quem já desenvolveu o "auscultar" das profundezas do espírito.

Além do mais, a facilidade de comunicação com outras dimensões espirituais não é dada somente aos chamados "agraciados" ou "dignos", conforme nossa estreita maneira de ver. Como a Natureza Divina tem uma visão igualitária, concedendo a seus filhos, sem distinção, as mesmas oportunidades de progresso, é autêntica a sábia assertiva: "Deus não quer a morte do ímpio"[1], mas que ele cresça e amadureça dispondo da multiplicidade das faculdades comuns a todos, herança divina do Criador para suas criaturas.

Por isso a encontramos nos mais diferentes patamares evolutivos, das classes sociais e intelectivas mais diferenciadas até as mais variadas nacionalidades e credos religiosos. Embora com

---

[1] Ezequiel 33:11.

denominações diferentes, a mediunidade sempre esteve presente entre as criaturas humanas desde o mais remoto primitivismo.

A propósito, não precisamos ter a preocupação de "desenvolver mediunidade", porque ela, por si só, se desenvolverá. É imprescindível, entretanto, aperfeiçoá-la e esmerá-la quando ela se manifestar espontaneamente. Nunca forçá-la a "acontecer", porque, ao invés de deixarmos transcorrer o processo natural, nós iremos simplesmente "fazer força", ou melhor, "agir improdutivamente".

Em vista disso, treinamentos desgastantes para despertar em nós "dons naturais" são incoerentes. Saber esperar o amadurecimento dos órgãos infantis é o que nos possibilitou ver, falar, andar, ouvir, sentir, saborear ou preferir. Por que então a mediunidade, considerada uma aptidão ontogenética do organismo humano, necessitaria de tantas implicações e imposições para atingir a plenitude?

Aprofundando nossas apreciações neste estudo, encontramos, no "dia de Pentecostes"[2], uma das maiores afirmações de que são espontâneas as manifestações mediúnicas e de que é natural seu despertar junto aos homens, quando foram desenvolvidas repentinamente as possibilidades psicofônicas dos apóstolos ao pousar "línguas de fogo", isto é, "mentes iluminadas" sobre suas cabeças, sem que eles esperassem ou invocassem o fenômeno.

A sensibilização progressiva da humanidade é uma realidade. Ela se processa, nos tempos atuais, de maneira indiscutível, pois, em verdade, "o Espírito é derramado sobre toda a carne"[3], tornando os efeitos espirituais cada vez mais eloquentes, incontestáveis e generalizados.

---

[2] Atos 2:1 ao 8.
[3] Atos 2:17.

Preconceito

"... endo-o visto, lhe disse: Zaqueu, apressai-vos em
descer, porque é preciso que eu me aloje hoje em
vossa casa. Zaqueu desceu logo e o recebeu com alegria.
Vendo isso, todos murmuraram dizendo: Ele foi alojar-se
na casa de um homem de má vida..."

(Cap. XVI, item 4.)

Diz-se que um indivíduo atingiu um bom nível ético quando pensa por si mesmo em termos gerais e críticos; quando dirige sua conduta conforme julgar correto, demonstrando assim independência interior; quando é autônomo para definir o bem e o mal, sem seguir fórmulas sociais; e, por fim, quando não é escravo das suas crenças inconscientes, porque faz constante exercício de autoconhecimento.

Por nosso quadro de valores ter sido adquirido de forma não vivencial é que nosso mundo íntimo está repleto de preconceitos e nosso nível ético encontra-se distante da realidade.

Ter preconceitos é, pois, assimilar as coisas com julgamento preestabelecido, fundamentado na opinião dos outros. Os preconceitos são as raízes de nossa infelicidade e sofrimento neurótico, pois deterioram nossa visão da vida como uma lasca que inflama a área de nosso corpo em que se aloja.

Aceitamos esses valores dos adultos com quem convivemos,

de uma maneira e forma tão sutis que nem percebemos. Basta a criança observar um comentário sobre a sexualidade de alguém, ou a religião professada pelos vizinhos, para assimilar ideias e normas vivenciadas pelo adulto que promove a crítica. De maneira distorcida, baseia-se no julgamento de outrem, quando é válido somente o autojulgamento, apoiado sempre na análise dos fatos como realmente eles são.

Qual seria então tua visão atual a respeito do sexo, religião, raça, velhice, nação, política e outras tantas? Seriam formadas unicamente sem a influência dos outros? Será que tua forma de ver a tudo e a todos não estaria repleta de obstáculos formados pelos teus conceitos preestabelecidos?

Por não estares atento ao processo da vida em ti, é que precisas do juízo dos outros, tornando-te assim dependente e incapacitado diante de tuas condutas.

Jesus de Nazaré demonstrou ser plenamente imune a qualquer influência alheia quanto a seus sentimentos e sentidos de vida, revelando isso em várias ocorrências de seu messiado terreno.

Ao visitar a casa de Zaqueu, não deu a mínima importância aos murmúrios maldizentes das criaturas de estrutura psicológica infantil, pois sabia caminhar discernindo por si mesmo.

Toda alma superior tem um sistema de valores não baseado em regras rígidas; avalia os indivíduos, atos e atitudes com seu senso interior, sentimentos, emoções e percepções intuitivas, tendo assim apreciações e comportamentos peculiares. Para ela, cada situação é sempre nova e cada pessoa é sempre um mundo à parte.

Em verdade, Cristo veio para os doentes que têm a coragem

de reconhecer-se como tais, não porém para os sãos, ou para aqueles que se mascaram. Zaqueu, vencendo os próprios conceitos inadequados de chefe dos publicanos, derrubou as barreiras do personalismo elitista e rendeu-se à mensagem da Boa Nova.

Despojou-se do velho mundo que detinha na estrutura de sua personalidade e renovou-se com conceitos de vida imortal, aceitando-se como necessitado dos bens espirituais. Disse Jesus: "O sábado foi feito para o homem, e não o homem para o sábado"[1]. Ao dizer isso, o Mestre se referia ao antigo mandamento de Moisés, que impedia toda e qualquer atividade aos sábados, e que Ele, por sabedoria e por ser desprovido de qualquer preconceito, entendia a serventia dessa lei para determinada época, porém queria agora mostrar aos homens que "as experiências passadas são válidas, mas precisam ser adequadas às nossas necessidades da realidade presente".

Nossos preconceitos são entraves ao nosso progresso espiritual.

---

[1] Marcos 2:27.

Grão de mostarda

"... *Jesus lhes respondeu: É por causa da vossa incredulidade. Porque eu vô-lo digo em verdade: se tivésseis fé como um grão de mostarda, diríeis a esta montanha: Transporta-te daqui para ali, e ela se transportaria, e nada vos seria impossível."*

(Cap. XIX, item 1.)

Fé é sentimento instintivo que nasce com o espírito. Crença inata, impulso íntimo fundamentado na "certeza absoluta" de que o Poder Divino, em toda e qualquer situação, está sempre promovendo e ampliando nosso crescimento pessoal.

Essa convicção inabalável na "Sabedoria Celeste", que é a própria Inteligência Providencial que rege a tudo e a todos, atinge sua plenitude nas criaturas mais evoluídas. Tais valores se encontravam inicialmente em estado embrionário e, ao longo das encarnações sucessivas, estruturaram-se entre as experiências do sentimento e do raciocínio.

Como em todas as manifestações de progresso, também esse impulso intuitivo do ser humano ligado às faixas da fé é resultado de um desenvolvimento lento e progressivo.

Por exemplo, a criança não pode manifestar a habilidade de falar, sem ter atravessado as fases básicas da fonética, isto é, resmungar, balbuciar, soletrar e silabar.

Desse modo, o ser imaturo, apesar de criado com esse sentimento instintivo da fé, também atravessa um vasto período de desenvolvimento, que não se dá por mudanças abruptas, mas por uma série de sensações e percepções, às vezes mais ou menos demoradas, conforme a vontade e a determinação do próprio espírito.

Consequentemente, a fé plena não é só conquista repentina que aparece quando queremos; é também trabalho desenvolvido e assimilado ao longo do tempo.

Ela pulsa em todas as criaturas vivas e agita-se nas menores criações do Universo. Encontra-se na renovação do mineral rompido, que se restaura a si mesmo; aparece no fototropismo das plantas em crescimento; impulsiona o "relógio interno", que incita as aves a efetuar suas migrações, quase na mesma época em todos os anos; aguça o "regresso ao lar", ou seja, estrutura a capacidade de orientação e localização observada em certos animais domésticos. A fé também estimula o homem selvagem a nutrir a crença na existência de um ser supremo, que eles adoram nos fenômenos e elementos da Natureza.

Entendemos, dessa forma, que a fé não equivale a uma "muleta vantajosa" que nos ajuda somente em nossas etapas difíceis, nem a "providências de última hora" para alcançarmos nossos caprichos imediatos. Ter fé é auscultar e perceber as "verdadeiras intenções" da ação divina em nós e, acima de tudo, é o discernimento de que tudo está absolutamente certo.

Nada está errado conosco, pois o que chamamos de "imperfeições" no mundo são apenas as lições não aprendidas ou não entendidas, que precisam ser recapituladas, a fim de que possamos nos conhecer melhor, assim como as leis que regem nossa existência.

Ter fé em Deus é reconhecer que a Natureza, "Arte Divina",

garante nossa própria evolução. Mesmo quando tudo pareça ruir em nossa volta, é ainda a fé amplamente desenvolvida que nos dará a certeza de que, mesmo assim, estaremos sempre ganhando, ainda que momentaneamente não possamos decifrar o ganho com clareza e nitidez.

No Universo nada existe que não tenha sua razão de ser. Tudo aquilo que parece desastroso e negativo em nossa existência, nada mais é que a vida articulando caminhos, para que possamos chegar onde estão nossos reais anseios de progresso, felicidade e prazer.

A criatura que aprendeu a ver o encadear dos fatos de sua vida, além de cooperar e fluir com ela, percebe que aquilo que lhe parecia negativo era apenas um "caminho preparatório" para alcançar posteriormente um Bem Maior e definitivo para si mesma.

As grandes tragédias não significam castigos e punições, porém maiores possibilidades futuras para a obtenção de uma melhoria de vida íntima e, paralelamente, de plenitude existencial.

Em face dessas realidades, a fé aperfeiçoada faz com que possamos avaliar em todas as ocorrências uma constante renovação enriquecedora. Quando todas as árvores estão despidas, é que se inicia um novo ciclo em que elas reúnem suas forças embrionárias e instintivas da fé para novamente se vestir de folhas, flores e frutos.

Tudo na Natureza obedece a "ritmos". São processos da vida em ação. No final de um ciclo, nossa energia declina para, logo em seguida, reunirmos mais forças para uma nova incursão renovadora.

A cada nova etapa de crescimento, talvez nos sintamos

temerosos e inseguros, a exemplo de certos animais que perdem momentaneamente seus revestimentos protetores. Depois, no entanto, nos sentiremos melhor adaptados, ao nos cobrirmos com elementos e estruturas mais eficientes, e que nos permitam prosseguir mais ajustados em nosso novo estágio evolutivo. Assim acontece com todos. Seremos atingidos por um "sereno bem-estar" quando visualizarmos antecipadamente as porvindouras oportunidades de reconforto, prosperidade e segurança que a vida nos trará após atravessarmos os "ciclos amargos" do renascimento interior.

A confiança em que tudo está justo e certo e em que não há nada a fazer, a não ser melhorar o nosso próprio modo de ver e entender as coisas, alicerça-se nas palavras de Jesus: "até os fios de cabelo da nossa cabeça estão todos contados"[1]. É a convicção perfeitamente ajustada a uma compreensão ilimitada dos desígnios infalíveis e corretos da Providência Divina.

Em muitas ocasiões, somente usando os recursos interpretativos da fé, nos grandes choques e tragédias, é que podemos notar o "processo de atualização" que a vida nos oferece, porquanto o significado de um acontecimento é captado em plenitude apenas quando "decifrado". É o único caminho que nos permitirá encontrar a verdadeira compreensão e entendimento dos fatos em si.

Entretanto, quando não traduzimos no decorrer dos acontecimentos nossos episódios existenciais, sentimos que nossa vida vai tornando-se inexpressiva, sem nenhum sentido, porque vamos perdendo contato com as mensagens silenciosas e sábias que a vida nos endereça.

Aqui estão algumas interpretações de fatos aparentemente

---

[1] Lucas 12:7

negativos, quando na realidade são profundamente positivos:

– Para vencermos a doença é necessário interpretar o que o sintoma quer alertar-nos sobre o que precisamos fazer ou mudar para harmonizar nosso psiquismo descontrolado.

– Sucessivos acontecimentos de "abandono" e "decepção" em nossa vida são mensagens silenciosas alertando-nos que nosso "grau de ilusão" ultrapassou os limites permitidos.

– Perda de criaturas queridas pode ser a lição que nos vai livrar de atitudes possessivas e de apegos patológicos, tanto para quem parte como para quem fica.

– Alucinação e loucura podem nos adestrar para maiores valorizações da realidade, afastando-nos de fantasias e aparências.

– Vícios de qualquer matiz podem estabelecer nos indivíduos normas corretivas na vida interior, a fim de que aprendam a lidar e a controlar melhor suas emoções e sentimentos.

– Traição afetiva pode nos exercitar na fiscalização de nosso "grau de confiabilidade" e "vulnerabilidade" perante os outros.

– Desprezo ou desconsideração podem ser emissões educativas, impulsionando-nos a um maior amor a nós próprios.

O ser humano de fé não é crédulo nem fanático; é antes o indivíduo que distingue os lucros e vantagens inseridos nos processos da vida. Compreende a sequência de fatos interconectados aprimorando-se paulatinamente para intensificar sua estabilidade e harmonia e, como consequência, seu engrandecimento espiritual.

Em síntese, a fé como força instintiva da alma guarda em si possibilidades transcendentes e poderes infinitos. Ao ampliá-la, o homem se potencializa vigorosamente, fluindo e contribuindo com o próprio ritmo da vida como um todo.

O "grão de mostarda", na comparação de Jesus Cristo, representa a minúscula semente como sendo o "impulso imanente" que começa a se formar no "princípio inteligente", nos primeiros degraus dos reinos da Natureza. Ao longo dos tempos, se transmuta, desenvolvendo potencialidades inatas, e, futuramente, se transforma num ser completo e de ações poderosas.

Devemos compreender, por fim, que o "poder da fé" realmente "transporta montanhas" e que para o espírito nada é inacessível, pois, quando percebe a razão de tudo e interpreta com exatidão a sabedoria de Deus, a vida para ele não tem fronteiras.

Ao ampliarmos nossa consciência na fé, sentiremos uma inefável serenidade íntima, porque conseguimos entender perfeitamente que, no Universo, tudo está "como deve ser"; não existe atraso nem erro, somente a manutenção e a segurança do "Poder Divino" garantindo a estabilidade e o aperfeiçoamento de suas criaturas e criações.

Preceptor das almas

"Mas o papel de Jesus não foi simplesmente o de um legislador moralista, sem outra autoridade que a sua palavra; ele veio cumprir as profecias que haviam anunciado sua vinda; sua autoridade decorria da natureza excepcional de seu Espírito e de sua missão divina..."

(Cap. I, item 4.)

Ele andou pelos caminhos terrenos desprovido de qualquer apego, consideração ou aplausos.

Ensinou a excelência da mensagem do amor em sua grandeza superlativa e, ao mesmo tempo, percorreu os caminhos, desacompanhado de seus pais ou parentes, solicitando, todavia, a presença espontânea de amigos amorosos que lhes absorveram as lições inesquecíveis.

Não tinha sequer onde reclinar a cabeça, despojado de qualquer bem material; nunca tomava decisões precipitadas em face de atitudes positivas ou negativas que aconteciam em seu redor, mas sempre reflexionava com sua estrutura divina, pois tinha plena consciência de sua missão terrena em favor da educação de uma humanidade ignorante e sofredora.

Ele afirmava que todos deveriam ser vistos como irmãos ou amigos, porque sabia que em potencial poderiam vir a ser pais, filhos, cônjuges ou irmãos, visto que é da lei universal a reencarnação e a caminhada a um só rebanho e a um só Pastor.

Independente de tudo e de todos, conhecia a estrada a ser percorrida, pois estava seguro em Si mesmo; dessa forma, fez sua trajetória livre de convenções e padrões preestabelecidos, não aceitando preconceitos de qualquer matiz, porquanto sabia transitar com grandeza e dignidade pelos caminhos do mundo.

Criatura magnífica, retinha na mente poderes que lhe permitiam manipular desde a intimidade da matéria até as essências mais sutis da alma humana.

Homem generoso, sempre voltado à Natureza, com a qual se integrava em plenitude.

Amava os lírios dos campos, os pássaros dos céus, os montes arborizados, as brisas da manhã, as águas dos lagos, os trigais, e a própria natureza divina que existe em tudo e em todos.

Ele exemplificou as belezas naturais terrenas, comparando-as com o Reino dos Céus, fazendo dessa forma um elo divino, isto é, uma ligação de amor entre os Céus e a Terra.

Ensinou-nos a respeitar inicialmente as coisas da Terra, para que pudéssemos, então, amar as coisas da Vida Maior.

Aparentemente fracassado na cruz, mostrou-nos logo após que venceu o mundo em todos os aspectos.

Jesus podia "ver" com absoluta facilidade por trás das cortinas do teatro da vida humana e tinha a nítida percepção das intenções mais secretas.

Os seres humanos, para Jesus, eram verdadeiros "livros abertos": seu olhar penetrava o âmago das almas, onde conseguia alcançar seus pontos fracos.

Não sufocava com a força de sua personalidade aqueles que O procuravam; ao contrário, afirmava: "Tudo depende de ti", ou mesmo, "A tua fé te curou". Em outras ocasiões, aconselhava-os: "Vai e não peques mais", convidando-os para uma vida autêntica e oferecendo apoio e incentivo para construírem a "Casa sobre a rocha".

Foi Mestre por excelência, porque se manteve longe dos excessos nos relacionamentos: do excesso de "convites", que promove desmedido envolvimento pessoal, dificultando a ajuda real, e do excesso de "indiferença", que provoca falta de compaixão e posicionamento frio.

Preceptor das Almas, levou-nos à reflexão íntima, ou melhor, à interiorização de nós mesmos, quando assegurou: "Eu estou no Pai e o Pai está em mim"[1], formalizando assim a necessidade do nosso autoconhecimento como base vital para alcançarmos o Reino do Céus.

Sigamos Jesus, Ele é a Luz do Mundo, o Sol Fulgurante que aquece as almas do frio interior, da desilusão e da desesperança.

Busquemos Jesus agora e sempre, porque só assim estaremos caminhando ao encontro da paz tão almejada.

---

[1] João 14:11.

Amar, não sofrer

"Perguntais se é permitido abrandar as vossas próprias provas; essa questão leva a esta: é permitido àquele que se afoga procurar se salvar? Àquele que tem um espinho cravado, de o retirar?..."

"...contentai-vos com as provas que Deus vos envia, e não aumenteis sua carga, às vezes tão pesada..."

(Cap. V, item 26.)

Sofremos porque ainda não aprendemos a amar; afinal, a lei divina nos incentiva ao amor, como sendo a única forma capaz de promover o nosso crescimento espiritual.

Os métodos reais da evolução só acontecem em nós quando entramos no fluxo educativo do amor. Sofrer por sofrer não tem significado algum, pois a dor tem como função resgatar as almas para as faixas nobres da vida, por onde transitam os que amam em plenitude.

Temos acumulado inúmeras experiências nas névoas dos séculos, em estâncias onde nossas almas estagiaram, e aprendido invariavelmente que só repararíamos nossos desacertos e equívocos perante a vida através do binômio "dor-castigo".

Nas tradições da mitologia pagã, aprendemos com os deuses toda uma postura marcada pela dor. A princípio, os duelos de Osíris, Set e Hórus, do Antigo Egito. Mais além, assimilamos "formas-pensamentos" das desavenças e vinganças entre Netuno e Júpiter no Olimpo, a morada dos deuses da Grécia.

101

Por outro lado, não foi somente entre as religiões idólatras que incorporamos essas formas de convicção, mas também nos conceitos do Velho Testamento, onde exercitamos toda uma forma de pensar, na exaltação da dor como um dos processos divinos para punir todos aqueles que se encontravam em falta.

A palavra "talião" significa "tal", do latim *talis*, definida como a "Lei de Talião", ou seja, "Olho por olho, dente por dente"[1]. Significa que as criaturas deveriam ter como castigo a dor, "tal qual" fizeram os outros sentir. Constatamos, assim, a ideia de que se tinha do poder divino era caracterizada por atributos profundamente punitivos.

Jó afirmava: "e Deus na sua ira lhes repartirá as dores"[2]; o Gênesis, em se referindo aos castigos da mulher: "multiplicarei os teus trabalhos e em meio da dor darás à luz a filhos"[3]. São algumas dentre muitas assertivas que nos levaram a formar crenças profundas de que somente o sofrimento era capaz de sublimar as almas, ou reparar negligências, abusos e crimes.

No "Sermão do Monte", Jesus Cristo se refere à Lei de Talião revogando-a completamente: "Ouvistes que foi dito: Olho por olho e dente por dente. Eu, porém, vos digo que não resistais ao mal; mas, se alguém te bater na face direita, apresenta-lhe também a outra"[4]. Longa foi a estiagem dos métodos corretivos pela dor, contudo o Mestre instalou na Terra o processo da educação pelo amor.

Apesar de Jesus ter invalidado a lei do "tal crime, tal

---

[1] Êxodo 21:24.
[2] Jó 21:17.
[3] Gênesis 3:16.
[4] Mateus 5:38 e 39.

castigo", ela ainda prevalece para todos os seres humanos que não encontraram no amor uma forma de "viver" e "pensar".

Realmente, durante muito tempo, a dor terá função dentro dos imperativos da vida, estimulando as pessoas às mudanças e às renovações, por não aceitarem que o amor muda e renova e, portanto, utiliza-se dos "cilícios mentais", como meios de suplícios e tormentos, para se autopunirem, pondo assim em prática toda sua ideologia de "exaltação à falta/punição".

Crenças não são simplesmente credos, máximas ou estímulos religiosos, mas também princípios orientadores de fé e de ideias, que nos proporcionam direção na vida. São verdadeiras forças que poderão limitar ou ampliar a criação do bem em nossa existência.

Mudar para o amor como método de crescimento, reformulando ideias e reestruturando os valores antigos é sairmos da posição de vítimas, mártires ou pobres coitados, facilitando a sintonização com as correntes sutis e amoráveis dos espíritos nobres que subiram na escala do Universo, amando.

Podemos, sim, "sutilizar" nossas energias cármicas, amando, ou "desgastá-las" penosamente, se continuarmos a reafirmar nossas crenças punitivas do passado.

Reforçar o "espinho cravado" ou não retirá-lo é opção nossa. Lembremo-nos, porém, de que ideias arraigadas e adotadas seriamente por nós tendem a motivar-lhes a própria concretização.

Lágrimas

"Bem-aventurados os que choram, porque serão consolados. Bem-aventurados os que têm fome e sede de justiça, porque serão saciados. Bem-aventurados os que sofrem perseguição pela justiça, porque o reino dos céus é para eles."

(Cap. V, item 1.)

Lágrimas são emoções materializadas que romperam as barreiras do corpo físico. Em realidade, representam os excessos de energia que necessitamos extravasar.

Nem sempre são as mesmas fontes que determinam as lágrimas, pois variadas são as nascentes geradoras que as expelem através dos olhos.

Lágrimas nascidas do amor materno são vistas quase que corriqueiramente nos olhos das mães apaixonadas pelos filhos.

Lágrimas de alegria marejam nos olhos dos enamorados, pelas emoções com que traçam planos de felicidade no amor.

Lágrimas geradas pela dor de quem vê o ente querido partir nos braços da morte física, entre as esperanças de reencontrá-lo logo mais, na vida eterna.

Lágrimas de amigos que apertam mãos nas realizações e uniões prósperas são sempre nascentes puras de emotividade sadia oriundas do coração.

Há, porém, lágrimas criadas pelos centros de desequilíbrio,

que mais se assemelham a gotas de fel, pois, quando jorram, congestionam os olhos, tornando-os de aspecto agressivo, de cor carmim, entre energias danosas que embrutecem a vida.

Lágrimas de inveja e revolta que brotam nos olhares dos orgulhosos e despeitados, quando identificam criaturas que vencem obstáculos, alcançando metas e exaltando as realizações ditosas que se propuseram edificar.

Lágrimas de angústia e desconforto que umedecem as pálpebras dos inconformados e rebeldes, os quais, por não respeitarem a si mesmos e aos outros, sofrem como consequência todos os tipos de desencontros nos caminhos onde transitam desesperados.

Lágrimas de pavor e devassidão, em uma análise mais profunda, são tóxicos destilados pela fisionomia dos corruptos, que lesam velhos, crianças e famílias inteiras na busca desenfreada de ouro e poder.

Lágrimas dissimuladas que gotejam da face dos hipócritas e sedutores, os quais, por fraudarem emoções, acreditam sair ilesos perante as leis naturais da vida.

Conta-se que lágrimas espessas rolaram dos olhos dos ladrões crucificados entre o Senhor Jesus, no Gólgota.

As gotas de lágrima do **mau ladrão** fecundaram, no terreno dos sentimentos, as raízes da reflexão e do discernimento, que permitiram entender o porquê dos corações rígidos e inflexíveis. A humanidade aprendeu que há hora de plantar e tempo de ceifar e que nem todos estão ainda aptos a compreender a essência espiritual, nascendo, portanto, dessa percepção o **"perdão incondicional"**.

Mas dos olhos do **bom ladrão** deslizaram as lágrimas dos que já admitiram seus próprios erros, vitalizando o solo abundantemente e fazendo germinar as sementes poderosas que permitem às consciências em culpa usar sempre "**amor incondicional**" para si mesmas e para os outros, como forma de restaurar sua vida para melhor.

Isso fez com que os seres humanos se aproximassem cada vez mais do patamar da reparação e do enorme poder de transformação que existem neles mesmos, reformulando e reorganizando gradativamente suas vidas. Estabeleceu-se assim, na Terra, o "arrependimento" – sentimento verdadeiro de remorso pelas faltas cometidas e que serve para renovação de conceitos e atitudes.

No teu mergulho interior, pondera tuas lágrimas, analisa-as e certifica-te dos sentimentos que lhes deram origem.

Que sejam sadias tuas fontes geradoras de emoções e que esse líquido cristalino que escorre sobre tuas faces te leve ao encontro da paz interior, entre alicerces de uma vida plena.

Os opostos

"... Como continuassem a interrogá-lo, ele se ergueu e lhes disse: Aquele dentre vós que estiver sem pecado, lhe atire a primeira pedra. Depois, abaixando-se de novo, continuou a escrever sobre a terra..."

(Cap. X, item 12.)

"Aquele dentre vós que estiver sem pecado, lhe atire a primeira pedra", assim enunciou Jesus Cristo diante da mulher surpreendida em adultério.

Ele conhecia a intimidade das criaturas humanas e as via como um livro completamente aberto. Sabia de suas carências e necessidades condizentes com seu grau evolutivo, bem como conhecia todo o mecanismo proveniente de sua "sombra", quer dizer, a soma de tudo aquilo que elas não desejam ter e ver em si mesmas.

O termo "sombra" foi desenvolvido por Carl Gustav Jung, eminente psiquiatra e psicólogo suíço, para conceituar o somatório dos lados rejeitados da realidade humana, que permanecem inconscientes por não querermos vê-los.

Jesus sabia que todos ali presentes fariam daquela mulher um "bode expiatório" para aliviar suas consciências de culpa, projetando sobre ela seus sentimentos e emoções não aceitos e apedrejando-a sumariamente, conforme as leis da época.

Em consequência, todos ali reunidos sentiriam momentaneamente um alívio ao executá-la, ou mesmo, "livres dos pecados", pois nela seriam projetados os chamados defeitos repugnantes e desprezíveis, como se dissessem para si mesmos: "não temos nada com isso".

O Mestre, porém, induziu-os a fazer uma "introspecção", impulsionando-os para uma viagem interior, indagando: "quem de vós não tem pecados?"

Somos, a todo instante, tentados a encobrir nossas vulnerabilidades ou "pontos fracos" por não aceitarmos ser natural que parte de nós é segura e generosa, enquanto outra duvida e é egoísta. Faz-se necessário admitirmos nossos "pecados" porque somente dessa forma iremos confrontar-nos com nossos "sótãos fechados" e promover nosso amadurecimento espiritual.

Admitindo nossos lados positivo e negativo, em outras palavras, nossa "polaridade", passaremos a observar nossa ambivalência, rejeitando assim as barreiras que nos impedem de ser autênticos. Urge que reconheçamos nossa condição humana de criaturas em processo de desenvolvimento evolucional.

Ao assumirmos, porém, nossos "opostos" como elementos naturais da estrutura humana (egoísmo-desinteresse, dominação-submissão, adulação-aversão, ciúme-indiferença, malícia-ingenuidade, vaidade-desmazelo, apego-apatia), aprendemos a não nos comportar como o pêndulo – ora num extremo, ora no outro.

A balança volta sempre ao ponto de equilíbrio, e é justamente essa a nossa meta de aprendizagem na Terra. Nem avareza, nem esbanjamento, nem preguiça, nem superentusiasmo, nem tanto lá, nem tanto cá, tudo com "equanimidade", isto é, dando igual importância aos lados, a fim de acharmos o meio-termo.

As polaridades unidas formam a totalidade, ou a unidade, mesmo porque nossa visão depende de ambas as partes unidas, para que nossas observações e estruturas não sejam claudicantes. Em suma, unir as polaridades em nossa consciência nos torna "unos" ou seres totais.

Com essa determinação, vamos adquirir um bom nível de permeabilidade e conseguir transcender os limites e interligar nossos opostos, atingindo um estado de consciência elevada, o que permitirá que nosso consciente e nosso inconsciente se fundam numa "unidade total".

As pesquisas da atualidade analisaram as metades do cérebro e chegaram à conclusão de que cada uma tem funções, capacidades e suas respectivas áreas, onde atuam as diferentes responsabilidades da psique humana.

O lado esquerdo cuida da lógica, da linguagem, da leitura, da escrita, dos cálculos, do tempo, do pensamento digital e linear e do lado direito do corpo, entre outras coisas, enquanto que o direito se prende às percepções da forma, da sensação do espaço, da intuição, do simbolismo, da atemporalidade, da música, do olfato e do lado esquerdo do corpo, entre outras funções.

Usar a totalidade cerebral é ter uma visão real da vida que nos cerca; portanto, com apenas metade do cérebro, teremos a bipartição da verdade, ou melhor, a não-conexão dos opostos.

O Mestre afirmou-nos: "Eu e meu Pai somos um"[1], querendo dizer que Ele era pleno, pois enxergava tudo no Universo como um "todo", através de sua consciência iluminada e integralizada.

---

[1] João 10:30.

Jesus não agia dividido em "pares opostos". Não pensava e não sentia como homem ou mulher, mas como espírito imortal; não visualizava o interior e exterior, antes observava o Universo e a nós por inteiro, "dentro e fora", argumentando que o "Reino de Deus" e "as muitas moradas da Casa do Pai" estavam no exterior e, ao mesmo tempo, no interior.

Por isso, não há nada a corrigir ou a consertar em nós, a não ser melhorar a nossa própria forma de ver as coisas, aprendendo a conhecer amplamente as interligações dos opostos, a fim de atingirmos o equilíbrio perfeito.

"Pecados", em síntese, são as extremidades de nossa polaridade existencial. Daí decorre a afirmação de Jesus de Nazaré aos homens que somente olhavam um dos lados do fato naquele julgamento e que, ao mesmo tempo, escondiam sentimentos e emoções que gostariam que não existissem.

Em suma, a ferramenta vital para interligar os opostos chama-se amor, porque amar é buscar a unificação das pessoas e das coisas, pois ele quer fundir e não dividir. O amor tem que ser absolutamente incondicional porque, enquanto for seletivo e preferencial, não será amor real. Quem ama realmente constitui um "nós", isto é, "une", sem anular o próprio "eu".

O sol emite raios para todas as criaturas e não distribui sua luminosidade segundo o merecimento de cada um. Assim também é o amor do Mestre: não diferencia bons e maus, certos e errados, poderosos e simples; não separa, nem divide, simplesmente ama a todos, pelo próprio prazer de amar.

Aparências

"*A árvore que produz maus frutos não é boa, e a árvore que produz bons frutos não é má; porque cada árvore se conhece pelo seu próprio fruto. Não se colhem figos dos espinheiros e não se cortam cachos de uva de sobre as sarças...*"

(Cap. XXI, item 1.)

Fugimos constantemente de nossos sentimentos interiores por não confiarmos em nosso poder pessoal de transformação e, dessa forma, forjamos um "disfarce" para sermos apresentados perante os outros.

Anulamos qualquer emoção que julgamos ser inconveniente dizendo para nós mesmos: "Eu nunca sinto raiva", "Nunca guardo mágoa de ninguém", vestindo assim uma aparência de falsa humildade e compreensão.

Máscaras fazem parte de nossa existência, porque todos nós não somos totalmente bons ou totalmente maus e não podemos fugir de nossas lutas internas. Temos que confrontá-las, porque somente assim é que desbloquearemos nossos conflitos, que são as causas que nos mantêm prisioneiros diante da vida.

Devemos nos analisar como realmente somos.

Nossos problemas íntimos, se resolvidos com maturidade,

responsabilidade e aceitação, são ferramentas facilitadoras para construirmos alicerces mais vigorosos e adquirirmos um maior nível de lucidez e crescimento.

Não devemos nunca mantê-los escondidos de nós próprios, como se fossem coisas hediondas, e sim aceitar essas emoções que emergem do nosso lado escuro, para que possamos nos ver como somos realmente.

Por não admitirmos que evoluir é experimentar choques existenciais e promover um constante estado de transformação interior é que, às vezes, deixamos que os outros decidam quem realmente somos, colocando-nos, então, num estado de enorme impotência perante nossas vidas.

A maneira como os outros nos percebem tem grande influência sobre nós. Amigos opressores, religiosos fanáticos, pais dominadores e cônjuges inflexíveis podem ter exercido muita influência sobre nossas aptidões e até sobre nossa personalidade.

Portanto, não nos façamos de superiores, aparentando comportamentos de "perfeição apressada"; isso não nos fará bem psiquicamente nem ao menos nos dará a oportunidade de fazer autoburilamento.

Deixemos de falsas aparências e analisemos nossas emoções e sentimentos, aprimorando-os. Canalizadas nossas energias, faremos delas uma catarse dos fluxos negativos, transmutando-as a fim de integrá-las adequadamente.

Aceitar nossa porção amarga é o primeiro passo para a transformação, sem fugirmos para novo local, emprego ou novos afetos, porque isso não nos curará do sabor indesejável, mas somente nos transportará a um novo quadro exterior. Os nossos conflitos não conhecem as divisas da geografia e, se não forem encarados de frente e resolvidos, eles permanecerão conosco onde quer que estejamos na Terra.

Para que possamos fazer alquimia das correntes energéticas que circulam em nossa alma, procedamos à auto-observação e à auto-análise de nossa vida interior, sem jamais negar a nós mesmos o produto delas.

Lembremo-nos de que, por mais que se esforcem as más árvores para parecer boas, mesmo assim elas não produzirão bons frutos. Também os homens serão reconhecidos, não pelos aparentes "frutos", não por manifestarem atos e atitudes mascarados de virtudes, mas por serem criaturas resolvidas interiormente e conscientes de como funciona seu mundo emocional.

Somente pessoas com esse comportamento estarão aptas a ser árvores produtoras de frutos realmente bons.

Galho verde

"...*A partir do nascimento, suas ideias retomam gradualmente impulso, à medida que se desenvolvem os órgãos...*"

"...*Durante o tempo em que seus instintos dormitam, ele é mais flexível e, por isso mesmo, mais acessível às impressões que podem modificar sua natureza e fazê-lo progredir...*"

(Cap. VIII, item 4.)

Quando crianças, somos como uma "argila frágil" ou mesmo como um "galho verde", prontos para ser modelados ou direcionados pelos nossos pais, que têm por missão desenvolver nossos potenciais como uma de suas principais tarefas. Grande parte de nossas percepções e reações emocionais foram internalizadas em razão da influência dos adultos à nossa volta. Desde o nascimento, somos todos extremamente sensíveis ao ambiente em que vivemos; por isso, os adultos devem meditar sobre as posturas que irão tomar em relação às crianças, pois terão grave importância em seu desenvolvimento futuro.

Determinados atos no ambiente familiar podem "melhorar" e "desenvolver", ou "deteriorar" e "inibir" a organização psicoespiritual da personalidade infantil.

Um ponto básico para compreensão e aceitação dos conceitos de educação em profundidade é o fato de que as crianças, no início de seu desenvolvimento, são "forçadas" a aceitar as regras dos pais, que se esquecem de que os filhos não são "livros em branco", mas almas antigas que carregam consigo enorme bagagem de experiências em seu *curriculum* espiritual.

Cada criança é um mundo à parte. Embora existam necessidades generalizadas para todas, também a individualidade de cada uma deve ser respeitada, pois os filhos, mesmo de uma só família, são diferentes entre si, inclusive os gêmeos univitelinos.

Impraticável tentar vestir mãos diferentes com a mesma luva ou enquadrar todas as crianças em igual padrão educativo.

Não se podem determinar modelos, receitas e atitudes absolutamente fixas e rígidas. Aceita-se com flexibilidade que cada criança terá sua importância à medida que desenvolve sua personalidade.

Todas as crianças gostam e necessitam de correr, de brincar, de estudar, de comer e de ser educadas convenientemente, mas cada uma terá características peculiares e não poderá correr, brincar, estudar e comer como as outras, nos mesmos moldes ou figurinos.

Um outro ponto importante é que, em muitas circunstâncias, as reações educativas dos pais não atendem basicamente às necessidades dos filhos, porém às deles mesmos. Inconscientemente, tentam educá-los através das projeções de seus conflitos, frustrações e problemas pessoais, nunca atingindo uma dinâmica profunda e direcionada às reais necessidades dos filhos. Certos adultos vivem suas dificuldades interiores na vida da criança, tentan-do resolver seus problemas nos problemas infantis, sentindo-se destroçados ou vitoriosos conforme as derrotas e os triunfos dos filhos. O resultado disso tudo será uma pessoa atingindo a maioridade completamente desconectada de suas realidades e profundamente desorientada.

Um fato a destacar é o sofrimento dos filhos em razão de

constantes atitudes inibitórias provocadas por adultos que se comportam com excessivo controle e zelo. Impedem que as crianças expressem gestos e raciocínios espontâneos, bem como a sua forma de ser. Desencorajam-nas a promover suas ideias inatas, desestimulam-lhes as vocações naturais, alteram-lhes as atividades para as quais teriam toda uma habilidade instintiva e faculdades apropriadas e impedem o desenvolvimento de sua própria índole, prejudicando-as.

Portanto, deveremos ser cuidadosos na análise de nossas influências paternais junto aos filhos, porque em "nome da missão" ou da "educação filial" não nos é lícito forçar ou distorcer os "galhos verdes", impondo-lhes opiniões e decisões e deixando de proporcionar-lhes gradativamente o hábito das próprias escolhas. Superprotegidos contra os erros, defendidos dos problemas e dificuldades, vemo-los crescendo à sombra dos pais, indecisos até sobre a mais simples opção, numa situação de dependência e apego que se prolonga, em muitos casos, durante toda a encarnação e também, por que não, nas futuras.

"A partir do nascimento, suas ideias retomam gradualmente impulso, à medida que se desenvolvem os órgãos"[1], e as crianças vão adquirindo uma maior possibilidade de expressar como realmente são. A partir daí, devem ser educadas de forma coerente com seu caráter instintivo e traços de personalidade – fruto dos conhecimentos que adquiriram nas existências anteriores. Nunca, porém, nos padrões da coerção, da exigência, da comparação, da crítica constante ou da superproteção – fatores de insegurança e de desajustes psicológicos profundos.

---

[1] "O Evangelho Segundo o Espiritismo" – cap. XIII, item 4.

Pais generosos, de espírito totalmente isento de crítica destrutiva, aproximam-se das crianças com o objetivo real de lapidá-las num clima constante de muito amor e compreensão, jamais se esquecendo de que elas não são suas, mas "almas eternas" em estágio temporário no recinto de nosso lar. São criaturas de Deus a caminho da luz.

O amor que tenho
é o que dou

"*No seu início, o homem não tem senão instintos; mais avançado e corrompido, só tem sensações; mais instruído e purificado, tem sentimentos; e o ponto delicado do sentimento é o amor, não o amor no sentido vulgar do termo, mas este sol interior...*"

(Cap. XI, item 8.)

Somente se dá aquilo que se possui. Como, pois, exigir amor de alguém que ainda não sabe amar?

Como requisitar respeito e consideração de criaturas que não atingiram o ponto delicado do sentimento que é o amor?

Quem dá afeto recolhe a felicidade de ver multiplicado aquilo que deu, mas somente damos de conformidade com aquilo de que podemos dispor no ato da doação.

Há diversidades de evolução no planeta. Homens mal saídos do primitivismo campeiam na sociedade moderna, ensaiando os primeiros passos do instinto natural para a sensibilidade amorosa.

Eis aqui uma breve relação de sintomas comportamentais que aparecem nas criaturas, confundindo o amor que liberta e deseja o bem da outra pessoa com a atração egoísta que toma posse e simplesmente deseja:

– Há indivíduos que, para conquistar os outros e convencê-los de suas habilidades e valores, contam vantagens, persuadindo também a si mesmo, pois acreditam que para amar é preciso apresentar credenciais e louros, satisfazendo assim as expectativas daqueles que podem aceitá-los ou recusá-los.

– Há criaturas que tentam amar comprando pessoas, omitindo e negando suas necessidades e metas existenciais, abandonando tudo que lhes é mais caro e íntimo e depois, por terem aberto mão de todos os seus gostos e desejos, perdem o sentido de suas próprias vidas, terminando desastrosamente seus relacionamentos.

– Alguns delegam o controle de si mesmos aos outros, cometendo assim, em "nome do amor", o desatino de renunciar ao próprio senso de dignidade, componente vital à felicidade. Não é de surpreender que vivam vazios e torturados, pois tornaram-se "um nada" ao permitirem que isso aconteça.

– Outros tantos usam da mentira, encobrindo realidades e escondendo conflitos. Convictos de que têm de ser perfeitos para ser amados, temem a verdade pelas supostas fraquezas que ela possa lhes expor diante dos outros. Acabam fracassados afetivamente por falta de honestidade e sinceridade.

– Certas criaturas afirmam categoricamente que amam, mas tratam o ser amado como propriedade particular. Por não confiarem em si mesmas, geram crenças cegas de que precisam cuidar e proteger, quando na realidade sufocam e manipulam criando um convívio insuportável e desgastante.

Uma das características mais tristes dos que dizem saber amar é a atitude submissa dos que nunca dizem "não", convencidos de que, sendo sempre passivos em tudo, receberão carinho e estima. Esse tipo de comportamento leva as pessoas a concordar sempre com qualquer coisa e em qualquer momento, trazendo-lhes desconsideração e uma vida insatisfatória.

Requisitar dos outros o que eles ainda não podem dar é desrespeitar suas limitações emocionais, mentais e espirituais, ou seja, sua idade evolutiva.

Forçar pais, filhos, amigos e cônjuge a preencher o teu vazio interior com amor que não dás a ti mesmo, por esqueceres teus próprios recursos e possibilidades, é insensato de tua parte.

É dando que se recebe; portanto, cabe a ti mesmo administrar tuas carências afetivas e fazer por ti o que gostarias que os outros te fizessem.

Não peças amor e afeto; antes de tudo, dá a ti mesmo e em seguida aos outros, sem mesmo cobrar taxas de gratidão e reconhecimento. Importante é que sigas os passos de Jesus na doação do amor abundante, sem jamais exigi-los de ninguém e sem jamais esquecer que és responsável pelos teus sentimentos.

Quanto aos outros, sejam eles quem forem, responderão por si mesmos conforme o seu livre-arbítrio e amadurecimento espiritual.

Palavras e atitudes

"Nem todos os que dizem: Senhor! Senhor! Entrarão no reino dos céus; mas somente entrará aquele que faz a vontade do meu Pai, que está nos céus..."

(Cap. XVIII, item 6.)

Os bons dicionários definem comunicação como ato ou efeito de transmitir e receber mensagens e que envolve duas ou mais pessoas. É o processo de permutar conceitos, gestos, ideais ou conhecimentos, falando, escrevendo ou através do simbolismo dos sinais e expressões.

Enquanto a conversação entre dois indivíduos tem um caráter mais restrito de comunicação, as atitudes que acompanham os diálogos têm um poder de comunicação mais amplo, eloquente e determinante.

O mecanismo que envolve a comunicação divide-se em três propriedades básicas dos seres humanos e se torna possível porque usamos nossa "percepção" ou "sensibilidade" para captar as informações; depois "avaliamos" para poder interpretar e compreender a mensagem; e, finalmente, "expressamo-nos" com palavras ou atitudes, baseadas nas reações emocionais provocadas pela maneira como integramos aquela mesma mensagem.

As circunstâncias existenciais de nossa vida de relação são o resultado direto de nossas atitudes interiores. Precisamos prestar atenção nos conteúdos de informação que recebemos, não somente pelas mensagens diretas, mas também por aquelas que absorvemos entre conteúdos simbólicos, inconscientes e subentendidos, na chamada comunicação "além da comunicação" convencional.

Jesus Cristo considerou a importância da palavra aliada ao crer, quando disse: "não afeteis orar muito em vossas preces, como fazem os gentios, que pensam ser pela multidão de palavras que serão atendidos"[1].

O Mestre disse que não seria pela "multidão de palavras" que nossas súplicas seriam atendidas, mas que os sentimentos silenciosos seriam fatores essenciais, ou seja, a sinceridade provida de vontade firme, intensidade e determinação, unidas pela "convicção", seriam consequentemente a forma ideal para os nossos pedidos e apelos à Divindade.

O simples pedido labial não tem a mesma potência do pedido estruturado em pensamentos concretos e firmes atitudes interiores.

Dizer por dizer "Senhor! Senhor!" não nos dará permissão para ingressar no Reino dos Céus, "mas somente entrarão aqueles que fazem a vontade de meu Pai", quer dizer, os que usam o desejo e o empenho como alavancas propulsoras em suas palavras e solicitações.

Os estudiosos do comportamento dizem que todos nós, desde a infância, recebemos através da comunicação um maior ou menor desenvolvimento psicoemocional.

---

[1] Mateus 6:7.

Afirmam que as informações recebidas através dos órgãos da linguagem – essencialmente dentro de casa, dos pais e irmãos, ou fora da família, dos tios, primos, avós ou amigos – agem sobre nós proporcionando recursos valiosos e determinantes sobre nosso modo de pensar, e atraem pessoas e coisas ao nosso redor. Certas informações, porém, captadas pelas crianças e adolescentes, explicam esses mesmos estudiosos, são transmitidas através da comunicação não-verbal: expressões corporais, mímicas, trejeitos do rosto, tonalidades, suspiros, lágrimas, gestos de contrariedade ou movimento das mãos. O comportamento, as expressões carinhosas e os monólogos da mãe com o feto na vida intra-uterina são comunicações superinfluenciadoras na estrutura emocional e espiritual das crianças em formação.

Todos nós recebemos e transmitimos mensagens articuladas constantemente, retendo ou não essas mesmas informações. Realizamos somas ou subtrações mentais com palavras e atitudes vivenciadas hoje e com outras recebidas ontem, para chegarmos a novos conceitos e conclusões da realidade.

Reconstituímos ocorrências passadas, antevemos fatos futuros, iniciamos e alteramos processos fisiológicos na intimidade de nosso organismo com nossas afirmações verbais negativas e positivas. Assim, compreendemos que a palavra tem uma importância inegável: ela cria vínculos de natureza mental, emocional e psicológica, altera o intercâmbio psíquico/espiritual e atua na formação de nossa personalidade, por meio da interação palavras/atitudes.

Em síntese, o poder da palavra em nossa vida é fundamental, e, se observarmos a reação de nossas afirmações e atos, descobriremos que eles não retornarão jamais vazios, mas repletos do material emitido.

Segundo o apóstolo Mateus, "por nossas palavras seremos justificados, e por nossas palavras seremos condenados"[2], pois diálogos são pensamentos que se sonorizam e criam campos de energia condensada dentro e fora de nós.

Reformulemos, se for o caso, as comunicações ou atitudes que recebemos na infância. Se porventura foram de severidade e rispidez, se nos menosprezaram com mensagens negativas constantes, repetitivas e depreciativas, poderão ser elas a razão de nossos sentimentos de inferioridade, rejeição e agressividade compulsórias.

Não diga "que dia horrível!" porque simplesmente está chovendo. A dramaticidade é um dos fatores traumáticos de nossa existência, pois muitas dessas expressões despretensiosas, repetidas muitas vezes, podem-nos conduzir a verdadeiros turbilhões vivenciais.

Nossas palavras são filamentos sonoros revestidos de nossos sentimentos, e nossas atitudes são o resultado de expressões assimiladas e determinadas pelo nosso comportamento mental.

[2] Mateus 12:37.

Crenças e carma

"...A quem, pois, culpar de todas as suas aflições senão a si mesmo? O homem é, assim, num grande número de casos, o artífice dos seus próprios infortúnios; mas, em vez de o reconhecer, ele acha mais simples, menos humilhante para a sua vaidade, acusar a sorte, a Providência..."

(Cap. V, item 4.)

Mentalidade é a capacidade intelectual, ou seja, o conjunto de crenças, costumes, hábitos e disposições psíquicas de um indivíduo. São registros profundos situados no corpo espiritual, raízes de nosso modo de agir e pensar, acumulados na noite dos tempos.

Nossa mentalidade atrai tudo aquilo que irradiamos consciente ou inconscientemente. Portanto, certos conceitos que mantemos atraem prosperidade e nos fazem muito bem; outros tantos nos desconectam do progresso e da realidade espiritual.

Porque ainda não vemos as coisas sem o manto da ilusão é que acreditamos em prêmios e castigos; na realidade, suportamos apenas as consequências de nossos atos.

Dessa forma, tudo o que está acontecendo em tua vida é produto de tuas crenças e pensamentos que se materializam; não se trata, pois, de punições nem recompensas, mas reações desencadeadas pelas tuas ações mentais.

Certas ideias sobre o carma não condizem com a coerência e com a lógica da reencarnação, levando-te a interpretações distorcidas e irreais sobre as Leis Divinas.

Carma, em sânscrito, quer dizer simplesmente "ação".

Tuas ações, ou seja, teus carmas são positivos ou negativos, de conformidade com o que fizeste e segundo tuas convicções e valores pessoais.

Deus não julga os atos pessoais, mas criou leis perfeitas que dirigem o Universo. Porque tens o livre-arbítrio como patrimônio, é que deves admitir que a vida dá chances iguais para todos: a diferença está na credulidade de cada um.

A seguir, algumas formas negativas de pensar: "Não posso mudar, é meu carma"; "Tenho que sofrer muito, são erros do passado".

Se golpearmos algo para frente, este objeto terá a força e a direção que lhe imprimirmos. Se continuarmos, pois, a golpeá-lo, recolheremos sucessivos retornos com relativa frequência e intensidade, conforme nossa ação promotora.

São assim teus carmas: atos e atitudes que detonas continuadas vezes, vida após vida, recebendo, como consequência, as reações decorrentes de tua liberdade de agir.

Por que, então, não mudas teu carma?

Jesus afirmou que as ações benevolentes impedem os efeitos negativos, quando asseverou: "Muito lhe foi perdoado porque muito amou, mas a quem pouco se perdoa, é porque pouco ama"[1]. Ou ainda: "O amor cobre a multidão de pecados"[2].

Algumas religiões e sociedades vingativas e condenadoras impuseram a crença da punição como forma de resgatar a

---

[1] Lucas 7:47.
[2] I Pedro 4:8.

consciência intranquila perante as leis morais. Outras, mais radicais ainda, diziam que somente o sofrimento e o castigo até a "quarta geração"[3] eram o tributo necessário para que as criaturas pudessem se harmonizar perante o tribunal sagrado, com isso olvidando que a Providência Divina usa como método real de evolução apenas a educação e o amor.

Aquele que muito amou foi perdoado, não aquele que muito sofreu. O amor é que cobriu, isto é, resgatou a multidão dos pecados, não a punição ou o castigo.

O sofrimento apenas nos serve como "transporte das almas" de retorno ao amor, de onde saímos, fruto da Paternidade Divina. A função da dor é ampliar horizontes para realmente vislumbrarmos os concretos caminhos amorosos do equilíbrio.

Como o golpe ao objeto pode ser modificado, repensa e muda também tuas ações, diminuindo intensidades e frequências e recriando novos roteiros em tua existência.

Transformar ações amando é alterar teu carma para melhor, atraindo pessoas e situações harmoniosas para junto de ti.

---

[3] Êxodo 34:7.

A arte da aceitação

"...*O homem pode abrandar ou aumentar a amargura das suas provas pela maneira que encara a vida terrestre...*"

"*...contentar-se com sua posição sem invejar a dos outros, de atenuar a impressão moral dos reveses e das decepções que experimenta; ele haure nisso uma calma e uma resignação...*"

(Cap. V, item 13.)

Aceitar nossa realidade tal qual é representa um ato benéfico em nossa vida. Aceitação traz paz e lucidez mental, o que nos permite visualizar o ponto principal da partida e realizar satisfatoriamente nossa transformação interior.

Só conseguimos modificar aquilo que admitimos e que vemos claramente em nós mesmos, isto é, se nos imaginarmos outra pessoa, vivendo em outro ambiente, não teremos um bom contato com o presente e, consequentemente, não depararemos com a realidade.

A propósito, muitos de nós fantasiamos o que poderíamos ser, não convivendo, porém, com nossa pessoa real. Desgastamos dessa forma uma enorme energia, por carregarmos constantemente uma série de máscaras como se fossem utilitários permanentes.

A atitude de aceitação é quase sempre característica dos adultos serenos, firmes e equilibrados, à qual se soma o estímulo que possuem de senso de justiça, pois enxergam a vida através do prisma da eternidade. Esses indivíduos retêm um considerável "coeficiente evolutivo", do qual se deduz que já possuem um potencial de aceitação, porquanto aprenderam a respeitar os mecanismos da vida, acumulando pacificamente as experiências necessárias a seu amadurecimento e desenvolvimento espiritual.

Quando não enfrentamos os fatos existenciais com plena aceitação, criamos quase sempre uma estrutura mental de defesa. Somos levados a reagir com "atitudes de negação", que são em verdade molas que abrandam os golpes contra nossa alma. São consideradas fenômenos psicológicos de "reação natural e instintiva" às dores, conflitos, mudanças, perdas e deserções e que, por algum tempo, nos aliviam dos abalos da vida, até que possamos reunir mais forças, para enfrentá-los e aceitá-los verdadeiramente no futuro.

Não negamos por ser turrões ou teimosos, como pensam alguns; não estamos nem mesmo mentindo a nós próprios. Aliás, "negar não é mentir", mas não se permitir "tomar consciência" da realidade.

Talvez esse mecanismo de defesa nos sirva durante algum tempo; depois passa a nos impedir o crescimento e a nos danificar profundamente os anseios de elevação e progresso.

Auto-aceitação é aceitar o que somos e como somos. Não a confundamos como uma "rendição conformada", e que nada mais importa. De fato, acontece que, ao aceitar-nos, inicia-se o fim da nossa rivalidade com nós mesmos. A partir disso, ficamos do lado da nossa realidade em vez de combatê-la.

Diz o texto: "O homem pode abrandar ou aumentar a amargura das suas provas pela maneira que encara a vida terrestre". Aceitação é bem uma maneira nova de "encarar" as circunstâncias da vida, para que a "força do progresso" encontre espaços e não mais limites na alma até então restrita, pois a "vida terrestre" nada mais é do que o relacionar-se consigo mesmo e com os outros no contexto social em que se vive.

Aceitar-se é ouvir calmamente as sugestões do mundo, prestando atenção nos "donos da verdade" e admitindo o modo de ser dos outros, mas permanecer respeitando a nós mesmos, sendo o que realmente somos e fazendo o que achamos adequado para nós próprios.

Em vista disso, concluímos que aceitação não é adaptar-se a um modo conformista e triste de como tudo vem acontecendo, nem suportar e permitir qualquer tipo de desrespeito ou abuso à nossa pessoa; antes, é ter a habilidade necessária para admitir realidades, avaliar acontecimentos e promover mudanças, solucionando assim os conflitos existenciais. E sempre caminhar com autonomia para poder atingir os objetivos pretendidos.

Vínculos familiares

*"... A feição real de alma a alma, a única que sobre-
vive à destruição do corpo, porque os seres que
não se unem neste mundo senão pelos sentidos não têm nenhum motivo para se procurarem no mundo dos Espíritos.
Não há de duráveis senão as afeições espirituais..."*
(Cap. IV, item 18.)

A rigor, família é uma instituição social que compreende
indivíduos ligados entre si por laços consanguíneos.

A formação do grupo familiar tem como finalidade a educação, implicando, porém, outros tantos fatores como amor,
atenção, compreensão, coerência e, sobretudo, respeito à individualidade de cada componente do instituto doméstico.

Com o Espiritismo, porém, esse conceito de família se
alarga, porque os velhos padrões patriarcais, impositivos e
machistas do passado, cedem lugar a um clã familiar de visão
mais ampla de vivência coletiva, dentro das bases da reencarnação. Por admitir que os laços da parentela são preexistentes
à jornada atual, os preconceitos de cor, de sangue, sociais e
afetivos caem por terra, em face da possibilidade de as almas
retornarem ao mesmo domicílio, ocupando roupagens físicas
conforme as necessidades evolutivas.

As afeições reais do espírito sobrevivem à destruição do

corpo e permanecem indissolúveis e eternas, nutrindo-se cada vez mais de mútuas afinidades, enquanto que as atrações materiais, cujo único objetivo são as ilusões passageiras e os interesses do orgulho, extinguem-se com a "causa que os fez nascer".

Assim, vemos famílias que adotam a "eliminação quase total da vida particular". A atenção é focalizada de forma exclusiva no grupo familiar, cujos integrantes vivem neuroticamente uns para os outros. Bloqueiam seus direitos à própria vida, à liberdade de agir e de pensar e ao processo de desenvolvimento espiritual, para se ocuparem de cuidados improdutivos e alienatórios entre si. Vivem uns para os outros numa "simbiose doentia".

Os elementos que vivem presos a esse relacionamento de permuta egoísta afirmam para si mesmos: "Se eu me sacrifico pelo outro, exijo que ele se dedique a mim". Não se trata de caridade, e sim de compromissos impostos entre dois ou mais indivíduos de juntos viverem, visando ao "bem-estar familiar". Na verdade, não estão exercitando o discernimento necessário para enxergar a autêntica satisfação de cada um como pessoa.

Não nos referimos aqui ao companheirismo afetivo, tão reconfortante e vital à família, mas a uma postura obrigatória pela qual indivíduos se vigiam e se encarceram reciprocamente.

Encontramos também outras famílias que não se formaram por afeições sinceras; fazem comparações e observam características de outras famílias que invejam e que buscam copiar a qualquer custo: são as chamadas "alpinistas sociais".

Procuraram formar o lar afeiçoadas a modelos de elegância e a peculiaridades obstinadas de afetação social, moldando o recinto doméstico ao que eles idealizam a seu bel-prazer como "chique".

Vestem-se à imagem dos outros, comparam carros, móveis, gostos e comidas; negam a cada membro, de forma nociva, a verdadeira vocação, tentando sempre copiar modos de viver que não condizem com suas reais motivações.

Há ainda outras agremiações familiares denominadas "exibicionistas", em que os membros do lar se associam para suprir a necessidade que nutrem de ser vistos, ouvidos, apreciados e admirados. Ajudam-se mutuamente, ressaltando uns a imagem dos outros e focalizando áreas que podem ser valorizadas pelo social, como, por exemplo, a beleza física ou o recurso financeiro.

As pessoas vaidosas desse tipo familiar, quando bem sucedidas ou conceituadas, alimentam exibição sistemática diante dos outros, como forma de compensação ao orgulho de que estão revestidas.

Assim considerando, os laços de família formados em bases de fidelidade, amor, respeito e dedicação perdurarão pela eternidade e serão cada vez mais fortalecidos. Os espíritos simpáticos envolvidos nessas uniões usufruem indizível felicidade por estar juntos trabalhando para o seu progresso espiritual. "Quanto às pessoas unidas pelo único móvel do interesse, elas não estão realmente em nada unidas uma à outra: a morte as separa sobre a Terra e no céu"[1], conforme nos certifica literalmente o texto de "O Evangelho Segundo o Espiritismo".

---

[1] "O Evangelho Segundo o Espiritismo" – cap IV, item 18.

Vantagens do esquecimento

"... Se Deus julgou conveniente lançar um véu sobre o passado, é porque isso devia ser útil..."

"...Deus nos deu, para nosso adiantamento, justamente o que nos é necessário e pode nos bastar: a voz da consciência e nossas tendências instintivas, e nos tira o que poderia nos prejudicar..."

(Cap. V, item 11.)

Em certas criaturas é visível a rejeição que fazem para aceitar as coisas novas que vão surgindo em sua trajetória vivencial. A Natureza em nós é força de progresso, e os homens evoluem sempre, não porém, ao mesmo tempo e da mesma forma, mas naturalmente, obedecendo ao seu próprio ritmo.

O nível de saúde mental é medido a partir do grau de adaptação da criatura ao fluxo das novas ideias que aparecem de tempos em tempos, como fatores de progresso das almas.

No entanto, certas pessoas se orgulham ao proclamar-se conservadoras, esquecendo-se de que o "comodista", por medo ou estagnação, perde sua liberdade por não querer correr o risco de sair do lugar-comum.

Estão sempre lembrando uma época de felicidade, suspirando por sonhos antigos que não se realizaram, revivendo o passado, repisando as suas e as opiniões erradas dos outros e justificando-se agarradas às lembranças de vidas passadas.

Vivem presas nos "ecos do pretérito", sem produtividade, sem retirar benefício algum da observação dos fatos, por não saber integrar passado/presente.

Se demonstrassem algum interesse para com uma só experiência nova, talvez promovessem mudanças lucrativas em seus padrões mentais. Passam por diversas experiências, não aprendendo uma única lição sequer.

A cada etapa da existência, acumulamos valores intelectuais e emocionais que nos diferenciam sensivelmente de como éramos há pouco tempo. Sempre nos são dadas constantes oportunidades de modificação e melhores concepções de vida, estimuladas pelas circunstâncias vivenciadas nas múltiplas experiências reencarnatórias que tivemos.

Por que, então, não deixar o passado passar?

Ficamos retidos à ideias e conceitos que nos foram válidos em determinadas épocas de nossa vida; atualmente, porém, é preciso renovação e libertação dos ranços do pretérito em favor de um presente atuante e vantajoso.

Quando escutamos a formulação de ideias novas, tomamo-las por velhas ideias ou pensamos que podem ser interpretadas ou explicadas com o auxílio dos velhos conceitos. Estamos de tal maneira arraigados ao passado que deixamos de crer que possam existir novas maneiras de ver e interpretar.

"Ninguém põe um remendo de pano novo numa roupa velha, porque tiraria a consistência da roupa e o rasgão ficaria pior"[1], observou Jesus Cristo aos que, diante dos novos ensinamentos dos quais Ele era portador, ainda permaneciam enraizados aos costumes e práticas farisaicas, que impediam os impulsos de amadurecimento das almas.

---

[1] Mateus 9:16.

"Se Deus julgou conveniente lançar um véu sobre o passado, é porque isso devia ser útil."

O momento presente é o ideal para o nosso progresso, e nós só podemos "sentir o aqui e o agora", pois tentar sentir o ontem é "ressentir"; por consequência, nem sempre são válidas e autênticas nossas emoções do ontem para avaliação do nosso tempo presente.

Essencialmente, a voz da consciência e as nossas tendências instintivas são os melhores meios de ação, conforme nos indica o texto em estudo.

Cada dia é uma nova oportunidade para nos desvencilharmos de velhos conceitos, ideias fixas e reflexões obsoletas. Aproveitemos, portanto, a "vantagem do esquecimento", que nos concede a Divina Providência, para transformarmos nossa presente encarnação em fonte de novos suprimentos destinados a tornar mais felizes as encarnações futuras.

O "cisco" e a "trave"

"Por que vedes um argueiro no olho do vosso irmão, vós que não vedes uma trave no vosso olho? Ou como dizeis ao vosso irmão: Deixai-me tirar um argueiro do vosso olho, vós que tendes uma trave no vosso? Hipócritas, tirai primeiramente a trave do vosso olho, e então vereis como podereis tirar o argueiro do olho do vosso irmão."

(Cap. X, item 9.)

Os indivíduos em plenitude não negam suas emoções; permitem que elas venham à tona, e, como elas estão sob seu controle, reconhecem o que estão lhes mostrando sobre seus sentimentos, suas inclinações e suas relações com as pessoas.

As emoções devem ser "integradas", ou seja, primeiramente, devemos nos permitir "senti-las"; logo após, devemos julgá-las e "pensar" sobre nossas necessidades ou desejos; e, a partir disso, "agir" com nosso livre-arbítrio, executando ou não, conforme nossa vontade achar conveniente.

O mecanismo de nos "consentir", de "raciocinar" e de "integrar" emoções determinará nossos êxitos ou nossas derrotas nas estradas de nossa existência.

Emoções são muito importantes. Através delas é que nos individualizamos e nos diferenciamos uns dos outros. Ninguém sente, pois, exatamente igual, isto é, com a mesma potência e intensidade, seja no entusiasmo em uma situação prazerosa, seja na frustração ao observar uma meta perdida. Podemos pensar igual aos outros, mas para um mesmo pensamento criaturas diversas têm múltiplas reações emocionais.

Assim considerando, emoções não são certas ou erradas, boas ou impróprias, mas apenas energias que dependem do direcionamento que dermos a elas. Reconhecê-las ou admiti-las não significa, de modo algum, que vamos sempre agir de acordo com elas.

Quando negadas ou reprimidas, não desaparecem como por encanto; ao contrário, sendo energias, elas se alojarão em determinados órgãos e congestionarão as entranhas mais íntimas da estrutura psicossomática dos indivíduos.

Ao abafarmos as emoções, podemos gerar uma grande variedade de doenças autodestrutivas. Abafá-las pode também nos levar a reações muito exacerbadas ou à completa ausência de reações, a apatia.

Portanto, quando tomamos amplo contato com nosso lado emocional, começamos a reconhecer vestígios a respeito de nós mesmos, que nos proporcionarão autodescoberta, autopreservação, segurança íntima e crescimento pessoal.

Ora, se o Poder Divino, através de sua criação, pelo próprio mecanismo da Natureza, delegou as emoções a todos os seres vivos, conforme seu grau de evolução, não poderemos simplesmente negá-las, como se não servissem para nada. Tristeza, alegria, raiva ou medo são emoções básicas e deveremos usá-las como bússolas que nos nortearão os caminhos da vida.

Elas estão conectadas a nosso sistema de pensamento "cognitivo" – atividades psicológicas superiores, tais como: a percepção, a intuição, a memória, a linguagem, a atenção e os demais processos intelectuais e espirituais.

Ao ignorarmos nossas reações emocionais, não investigando sua origem em nós mesmos, teremos sempre a tendência de projetá-las nos outros. Além do que, seremos seres psicologicamente claudicantes, por não integrarmos nossas emoções aos nossos cinco sentidos, que nos facilitam a análise das pessoas e de nós mesmos.

A tendência que certos indivíduos têm de atribuir falhas e erros a outras pessoas ou coisas, não enxergando e não admitindo como sendo suas, denomina-se "projeção".

Às vezes, tentamos fazer nossas emoções desaparecer, porque as tememos. Reconhecer o que realmente sentimos exigiria ação, mudança e decisão de nossa parte, e muitas vezes seríamos colocados face a face com verdades inadmissíveis e inconcebíveis por nós mesmos; e assim, tentamos projetá-las como sendo emoções não nossas, mas dos outros.

"Não sinta isso, é feio" – essa é uma das muitas velhas mensagens que ecoam em nossa mente desde a mais tenra infância; com o passar do tempo, julgamos não mais senti-las, porque as escondemos da recriminação dos adultos.

Em razão disso, certos indivíduos condenam com veemência os "ciscos" nos outros, pois veem em tudo luxúria e perversão, desonestidade ou ambição. É possível que esses mesmos indivíduos estejam reprimindo o reconhecimento de que eles próprios trazem consigo emoções sexuais e perversidades mal resolvidas, ou, em outros casos, emoções desmedidas de fama e de dinheiro projetadas sobre todos os que são por eles denominados ambiciosos e desonestos.

Na indagação "ou como dizeis ao vosso irmão: deixai-me tirar um argueiro do vosso olho, vós que tendes uma trave no vosso?", Jesus reconhecia a universalidade desse processo

147

psicológico, "a projeção", e, como sempre, asseverava a necessidade da busca de si mesmo, para não transferirmos nossos traços de personalidade desconhecidos às coisas, às situações e aos outros.

O Mestre nos inspirava ao mergulho em nossa própria intimidade, a fim de que pudéssemos enxergar o "lado obscuro" de nossa personalidade. Ao tomarmos esse contato imprescindível com nossas "sombras", a consciência se torna mais lúcida, crítica e responsável, descortinando amplos e novos horizontes para o seu desenvolvimento e plenitude espiritual.

Finalizando, atentemos para a análise: "as condutas alheias que mais nos irritam são aquelas que não admitimos estar em nós mesmos"; "os outros nos servem de espelho, para que realmente possamos nos reconhecer".

Verniz social

"A benevolência para com os semelhantes, fruto do amor ao próximo, produz a afabilidade e a doçura, que lhe são a manifestação. Entretanto, não é preciso fiar-se sempre nas aparências; a educação e o hábito do mundo podem dar o verniz dessas qualidades..."

(Cap. IX, item 6.)

Nem sempre conseguimos mascarar por muito tempo nossas verdadeiras intenções e planos matreiros. Não dá para enganar as pessoas por tempo indeterminado. Após vestirmos as roupagens da afabilidade e doçura para encobrir rudeza e desrespeito, vem a realidade dura e cruel que desnuda aqueles lobos que vestiram a "pele de ovelha".

Realmente, é no lar que descortinamos quem somos. É no lar que escorre o verniz da bonança e da caridade que passamos sobre a face e que nos revela tal como somos aos nossos familiares. Trazemos gestos meigos e voz doce para desempenhar tarefas na vida pública, no contato com chefes de serviço e amigos, com companheiros de ideal e recém-conhecidos, mas também trazemos "pedras nas mãos" ou punhos cerrados no trato com aqueles com quem desfrutamos familiaridade.

Por querer aparentar alguém que não somos, ou impressionar criaturas a fim de conquistá-las por interesses imediatos, é que incorporamos personagens de ficção no palco da vida. Ou seja, é como se cumpríssemos um *script* numa representação teatral. Nada mais do que isso.

Em várias ocasiões, integramos em nós mesmos não só a sociedade visivelmente "externa", com suas construções, praças, casas e cidades, mas também a sociedade em seu contexto "invisível", que, na realidade, se compõe de regras e ordens sociais, bem como dos modelos de instituições criadas arbitrariamente. Captamos, através de nossos sentidos espirituais, todos os tipos de energia oriunda da população. Através de nossos radares sensíveis e intuitivos, passamos a representar de forma inconsciente e automática um procedimento dissimulado sob a ação dessas forças poderosas.

Maquilagens impecáveis, joias reluzentes, perfumes caros, roupas da moda e óculos charmosos fazem parte do nosso arsenal de guerra para ludibriar e corromper, para avançar sinais e para comprar consciências. Não nos referimos aqui à alegria de estar bem-trajado e asseado, mas à maquiavélica intenção dos "túmulos caiados".

Por não nos conhecermos em profundidade é que temos medo de nos mostrar como realmente somos.

Num fenômeno psicológico interessante, denominado "introjeção", que é um mecanismo de defesa por meio do qual atribuímos a nós as qualidades dos outros, fazemos o papel do artista famoso, dos modelos de beleza, das personagens políticas e religiosas, das figuras em destaque, dos parentes importantes e indivíduos de sucesso, e por muito tempo alimentamos a ilusão de que somos eles, vivenciando tudo isso num processo inconsciente.

Desse modo, nós nos portamos, vestimos, gesticulamos,

escrevemos e damos nossa opinião como se fôssemos eles realmente, representando, porém, uma farsa psicológica.

Ter duas ou mais faces resulta gradativamente em uma psicose da vida mental, porque, de tanto representar, um dia perdemos a consciência de quem somos e do que queremos na vida.

Quanto mais notarmos os estímulos externos, influências culturais, físicas, espirituais e sociais em nós mesmos, nossas possibilidades de relacionamento com outras pessoas serão cada vez mais autênticas e sinceras. A comunicação efetiva de criatura para criatura acontecerá se não levarmos em consideração sexo, idade e nível socioeconômico. Ela se efetivará ainda mais seguramente sempre que abandonarmos por completo toda e qualquer obediência neurótica aos modelos aprendidos e preestabelecidos.

Abandonemos o "verniz social" que nos impusemos no transcorrer da vida. Sejamos, pois, autênticos. Descubramos nossas reais potencialidades interiores, que herdamos da Divina Paternidade. Desenvolvendo-as, agiremos com maior naturalidade e, consequentemente, estaremos em paz conosco e com o mundo.

Velhos hábitos

" ... *O corpo não dá cólera àquele que não a tem, como não dá os outros vícios; todas as virtudes e todos os vícios são inerentes ao Espírito; sem isso, onde estariam o mérito e a responsabilidade?..."*

(Cap. IX, item 10.)

Em primeiro lugar, é necessário conceituar que vícios são dependências vigorosas e profundas de uma pessoa que se encontra sob o controle de outras ou de determinadas coisas.

Portanto, deve ser considerado como vício não apenas o consumo de tóxicos e de outros produtos de origem natural ou sintética. O conceito é mais amplo. Analisando-o em profundidade, podemos interpretá-lo como atitude mental que nos leva compulsoriamente à subjugação a pessoas e situações.

Muitos de nós aprendemos a ser dependentes desde cedo, dirigidos por adultos superprotetores que nos imprimiram "clichês psíquicos" de repressão, que se refletem até hoje como mensagens bloqueadoras dentro de nós e que não nos deixam desenvolver o "senso de autonomia" e de independência. Outros trazem enraizadas experiências em que lhes foi negada a possibilidade de exercer a capacidade de seleção de amigos e parceiros afetivos, em virtude da intervenção de adultos prepotentes. Essa nociva interferência torna-os mais tarde indivíduos de caráter oscilante, indecisos, assustados e inseguros. Outros ainda, por terem sofrido experiências conflitantes em outras encarnações, em contato com criaturas desequilibradas e em clima de inconstância e desarmonia, são predispostos a renascer hoje com maior identificação com a instabilidade emocional.

Dessa forma, entendemos que os fatores que propiciam os vícios e as compulsões ocorrem em ambientes familiares/ sociais desarmônicos, desta ou de outras encarnações, onde deixamos as pressões, traumas, coações, desajustes e conflitos se enraizarem em nossa "zona mental" ou "perispiritual", porquanto os vícios não passam de efeitos externos de nossos conflitos internos.

Vale ressaltar que nossa sociedade, a rigor, é extremamente "machista", razão pela qual muitas mulheres foram educadas para aceitar comportamentos dependentes como sendo "virtudes femininas", o que as leva a viver dentro de "demarcações estreitas" do que elas devem ou podem fazer.

O vício do álcool, sexo, nicotina, jogos diversos ou drogas farmacológicas são formas amenizadoras que compensam, momentaneamente, áreas frágeis de nossa alma desestruturada. Aliviam as carências, as ansiedades, os desajustes, as tensões psicológicas e reduzem os impulsos energéticos que produzem as insatisfações e o chamado "mal-estar interior".

Pode parecer que as opções vício/dependência disfarcem ou abrandem a "pressão torturante", porém o desconforto permanece imutável.

O álcool e a droga são sedativos ou analgésicos, mas por acarretar gravíssimas consequências, são denominados "vícios autodestrutivos". A comida é uma dependência considerada, de início, "vício neutro", para, depois, transformar-se numa "opção de fuga" negativa e profundamente desorganizadora do nosso corpo físico/psíquico.

Há manias ou vícios comportamentais tão graves e sérios que nos levam a ser tratados e considerados como pessoas de difícil convivência, isto é, inconvenientes:

– Vício de falar descontroladamente, sem raciocinar, desconectando-nos do equilíbrio e do bom senso.

– Vício de mentir constantemente para nós mesmos e para os outros, por não querermos tomar contato com a realidade.

– Vício de nos lamentarmos sistematicamente, colocando-nos como vítima em face da vida, para continuarmos recebendo a atenção dos outros.

– Vício de nos acharmos sempre certos, para podermos suprir a enorme insegurança que existe em nós.

– Vício incontido de gastar desnecessariamente, sem utilidade, a fim de adiarmos decisões importantes em nossa vida.

– Vício de criticar e mal julgar as pessoas, para nos sentirmos maiores e melhores que elas.

– Vício de trabalhar descontroladamente, sem interrupção, para nos distrairmos interiormente, evitando desse modo os conflitos que não temos coragem de enfrentar.

Inquestionavelmente, as chamadas viciações resultam do medo de assumir o controle de nossa vida e, ao mesmo tempo, do medo de nos responsabilizarmos por nossos atos e atitudes, permitindo que eles fiquem fora de nosso controle e de nossas escolhas.

Quaisquer que sejam, contudo, os motivos e a origem de nossos "velhos hábitos", urge estabelecermos pontos fundamentais, a fim de que comecemos indagando "por que somos" dependentes emocionalmente e "qual é a forma" de nos relacionarmos com essa dependência.

Aqui estão alguns itens a serem também observados e que provavelmente nos ajudarão a ser mais independentes, além de capazes de satisfazer nossos desejos e vocações naturais. Ao mesmo tempo, nos permitirão estar junto a pessoas e situações sem tornar-nos parcial ou totalmente dependentes delas:

– Aguçar nossa capacidade de decidir, de optar e de escolher cada vez mais livre das opiniões alheias.

– Combater nossa tendência de ser "bonzinhos", ou melhor, de desejar ser sempre agradáveis aos outros, mesmo pagando o preço de nos desagradar.

– Estimular nossa habilidade de dizer "não", quantas vezes forem necessárias, desenvolvendo assim nosso "senso de autonomia", a fim de não cair nos "modismos" ou "pressões grupais".

– Estabelecer no ambiente familiar um clima de respeito e liberdade, eliminando relações de superdependência "simbióticas", para que possamos ser nós mesmos e deixemos os outros serem eles mesmos.

– Criar padrões de comportamentos positivos, pois comportamentos são hábitos, e nossos hábitos determinam a facilidade de aceitarmos ou não as circunstâncias da vida.

– Conscientizar-nos de que somos seres humanos livres por natureza, mas também responsáveis por nossos atos e pensamentos, pois recebemos por herança natural o livre-arbítrio.

– Cultivar constantemente o autoconhecimento:

• reforçando nossa visão nos traços de nossa personalidade que já conhecemos;

• buscando nossos traços interiores, que ainda nos são desconhecidos;

• analisando as opiniões de outras pessoas que, ao contrário de nós, já conhecem o nosso perfil psicológico;

• aceitando plenamente nosso lado "inadequado", sem jamais escondê-lo de nós mesmos e dos outros, tentando, porém, equilibrá-lo.

Meditemos, pois, sobre essas ponderações que, com certeza, nos ajudarão a libertar-nos dessas "necessidades constrangedoras", cujas verdadeiras matrizes se encontram na intimidade de nós mesmos.

Belo planeta Terra

"...*Ora, da mesma forma que, numa cidade, toda a população não está nos hospitais ou nas prisões, toda a Humanidade não está sobre a Terra; como se sai do hospital quando se está curado, e da prisão quando se cumpre o tempo, o homem deixa a Terra por mundos mais felizes, quando está curado das suas enfermidades morais.*"

(Cap. III, item 7.)

Realmente, a Terra é um minúsculo grão de areia no imenso cosmo universal. Mundos incontáveis, estrelas de maior grandeza que o Sol, circulam pelos complexos interplanetários, e constelações inúmeras se encaixam em galáxias de milhares de anos-luz.

Assegura a ciência que a Via-Láctea possui mais de 200 milhões de estrelas espalhadas harmonicamente entre suas nebulosas, e que sua forma espiralada tem uma extensão aproximada de 100 mil anos-luz para ser percorrida de uma ponta a outra.

Vivemos num turbilhão de galáxias e galáxias, somos viajores do espaço, habitantes do Universo em busca da perfeição, e o nosso destino é a felicidade plena.

Nosso planeta é a residência que nos acolhe atualmente; portanto, amá-lo e protegê-lo é o nosso lema.

A Terra, de uma beleza sem igual, é para nós outros,

encarnados e desencarnados, domiciliados temporariamente neste orbe azulado, o nosso ninho de aconchego e progresso espiritual. Nossa concepção de beleza é ajustada às condições de evolução do planeta. O que vemos e sentimos está sintonizado com nosso modelo de "belo interior" e, por conseguinte, vislumbramos fora o que somos por dentro.

"A boca fala do que está cheio o coração"[1], disse Jesus, e nós completamos: os olhos veem conforme nossa atmosfera interior. É por isso que alguns afirmam: este planeta é uma prisão; outros dizem, porém: não, é um hospital; mais além outros tantos asseguram: é um belo jardim de paz.

Tua casa psíquica determina tua existência, tua observação focaliza pântanos pestilentos ou fontes cristalinas, serpentes ou pássaros e, assim, diriges teu modo característico de ver, conforme teu modelo interior, materializando e evidenciando as coisas ou as pessoas fora de ti mesmo.

O mundo moderno coloca o pensamento ecológico como um dos meios para que os homens possam sobreviver no planeta, inter-relacionando perfeitamente a flora e a fauna existentes em nosso meio ambiente. Tudo está integrado em tudo: as águas necessitam das plantas e vice-versa; os animais, das florestas; e os homens fazem parte desse elo ecológico, não como parte imprescindível, mas como parte integradora.

Allan Kardec, um dos precursores do pensamento ecológico, desde 1868, refere-se à Providência Divina como a atenção de Deus para com tudo e todos, definindo-a como a solicitude que "está por toda parte, tudo vê e a tudo preside, mesmo as menores coisas; é nisso que consiste a ação providencial"[2].

---

[1] Lucas 6:45.
[2] "A Gênese" – Allan Kardec, cap. II, item 20.

Transcorrido mais de um século, a humanidade continua estudando e observando essa "atenção celestial", em que cada ser vivo do planeta se interconecta, sendo todos essencialmente necessários para a manutenção de todos, e aprendendo a ver a vida em suas harmoniosas relações de "auto-ajuda", visto que submetida sempre a uma "Ação Superior e Inteligente", que a todos provê.

Paralelamente, e em razão disso, se os rios e as florestas morrerem, os homens também perecerão de modo parcial.

Todos nós somos Natureza, somos vida em abundância. Também tu és Natureza, e as várias moradas às quais se referia Jesus são hoje, pelo Espiritismo, levadas a outras tantas interpretações de maior compreensão e discernimento quanto ao modo de examinar e analisar a vida no planeta.

Ama a Terra! Ama a Natureza! Nosso mundo, nossa casa!

Imposições

"...*ão é o que entra na boca que enlameia o homem, mas o que sai da boca do homem. O que sai da boca parte do coração, e é o que torna o homem impuro...*"

"*...mas comer sem ter lavado as mãos não é o que torna um homem impuro...*"

(Cap. VIII, item 8.)

Os costumes de uma época refletem de tal maneira sobre os indivíduos que eles passam a vê-los primeiramente como "normas sociais", depois como "valores morais", culminando finalmente como "ordens divinas".

A liberdade de pensar e agir é um dos direitos mais sagrados do homem e, portanto, asas poderosas para o seu adiantamento espiritual. Liberdade da qual ele nunca deverá abrir mão, em hipótese alguma. Pessoas amarradas por normas opressoras mal podem respirar o ar de suas próprias ideias e mal podem se locomover para o crescimento interior, porque aspirações são anuladas, gestos são vigiados, anseios são negados constantemente.

"Não é o que entra na boca que enlameia o homem, mas o que sai da boca do homem" – adverte Jesus de Nazaré às criaturas de seu tempo, que se apegaram às práticas e regulamentos preestabelecidos pelos homens e dos quais eles mesmos, por serem pessoas ortodoxas e intolerantes, faziam "casos de consciência".

Os judeus, por confundirem frequentemente leis divinas com leis civis, atribuíam ao costume de lavar as mãos antes das refeições, à circuncisão, às questões do sábado e a outras tantas situações sociais, motivos geradores de polêmicas religiosas, porque se prestavam mais às práticas exteriores do que aos verdadeiros anseios de renovação das almas.

As pessoas de bem, no início do século, declaravam que os senhores dignos e respeitáveis deveriam somente sair à rua de chapéu, paletó e gravata, bem como, as honradas senhoras, de forma alguma, andariam desacompanhadas da família, devendo vestir também toda uma *toilette* impecável com imprescindíveis luvas, chapéus, leques e lenços perfumados, como elementos de "bem se compor" das elites da época.

No tempo de Jesus não poderia ser diferente. Ele, vivendo entre criaturas radicais, fanáticas pelas crenças religiosas do passado, que cultuavam "normas" e "regras" dadas pelos antigos profetas, haveria de não ser compreendido por sua postura de relacionamento livre de preconceitos e por ensinar sempre novos aspectos de ver e sentir a vida.

O Mestre tinha "senso de alma", ou seja, bom senso, porque usava sua sensibilidade e lógica para orientar a si mesmo e aos outros que lhe escutavam as lições de sabedoria, pois era contrário à superstição e à hipocrisia dos que "honravam com os lábios, mas não com o coração".

O que é moral ou imoral é relativo, em se tratando de costumes e regras sociais, porque em cada tempo, em cada era e em cada povo mudam-se as leis sociais, mudam-se os valores, muda-se a moral social.

No entanto, a moral à qual se reportava o Cristo de Deus não era aquela estabelecida pelos padrões imperfeitos do conhecimento humano, nem a que faz comparações do que é adequado ou inadequado, nem a que faz estatística e rotula coisas e pessoas. Entende-se que nossa alma tem sua própria história de vida, que somos totalmente individualizados por termos sido expostos a diversos estímulos e experiências diferentes ao longo da nossa jornada, na multiplicidade das vidas, e, portanto, devemos ser vistos de conformidade com a nossa vida interior.

Ele sabia que grande parte do nosso sofrimento ou conflitos internos provinha do fato de nos considerarmos errados, por não estarmos dentro dos moldes convencionados pela sociedade em que vivemos.

Matar será sempre imoral perante as Leis Divinas, apesar de que, dentro dos padrões da "moral social", matar na guerra é motivo de condecorações com medalhas e honrarias.

Dessa forma, analisemos, raciocinando com discernimento: a que moral nós estamos nos prendendo? A das leis passageiras da elite de uma época, ou a das leis eternas e verdadeiras de todos os tempos?

Pesquisemos atentamente os alicerces de nossa conduta moral. Eles podem ser os frutos de nossa dor, por permanecermos presos ao conflito de "lavarmos ou não as mãos"; ou podem ser as raízes de nossa felicidade, por seguirmos Jesus escutando a voz do nosso coração.

Francisco do Espírito Santo Neto ditado por Hammed

Conveniência

"...Quando derdes um jantar ou uma ceia, não convideis nem vossos amigos, nem vossos irmãos, nem vossos parentes, nem vossos vizinhos que forem ricos, de modo que eles vos convidem em seguida, a seu turno, e que, assim, retribuam o que haviam recebido de vós..."

(Cap. XIII, item 7.)

Fazer o bem pelo único prazer de fazê-lo, amar sinceramente dando o melhor de nós mesmos sem pensar em retribuições – eis a base do amor incondicional.

A sinceridade é o melhor antídoto para afastar falsas amizades. Convidar à mesa os pobres, os estropiados, os coxos e os cegos – na recomendação de Jesus – é angariar relacionamentos satisfatórios, leais, estimulantes, sem segundas intenções.

Talvez por querermos levar vantagens e proveito em tudo, tenhamos atraído para o nosso círculo afetivo amizades vazias, distorcidas, que representam verdadeiros parasitas de nossas energias. Por isso nos sentimos, algumas vezes, inadaptados ao meio em que vivemos.

Mas se amarmos por amar, encontraremos criaturas que não se preocuparão com as escalas hierárquicas e nos aceitarão como somos. Não esperarão de nós toda a sabedoria para todas as respostas, apenas compartilharão conosco o carinho de bons amigos.

O refrão da conveniência é: "vou te amar se..."

Se me recompensares, serei teu amigo.

Se me convidares, eu te prestigiarei.

Se ficares sempre a meu lado, eu te amarei.

Se concordares comigo, concordarei contigo.

Jesus nos pede desinteresse nas relações, e não imposições de conformidade com as nossas paixões. Ele nos ensina a lição de não manipularmos ocasiões, porque toda cobrança fragiliza relacionamentos, e em verdade é uma questão de tempo para que tudo venha a ruínas.

Os sentimentos verdadeiros não são mercadorias permutáveis, mas alimentos nutrientes das almas, os quais nos dão fortalecimento durante as provas e reerguimento perante as lutas expiatórias.

Quando esperamos que os outros supram nossas carências e nos façam felizes gratuitamente, não estamos de fato amando, mas explorando-os.

Ao identificarmos jogos de manipulação, procuremos relembrar nossa verdadeira missão na Terra, pois sabemos que não viemos a este mundo a fim de agradar os outros ou viver à moda deles, mas para aprender a amar a nós mesmos e aos outros, sem condições.

Em muitas ocasiões, fundimos nossos sentimentos com os de outros seres – cônjuge, pais, filhos, amigos, irmãos – e perdemos nossas fronteiras individuais, por ser momentaneamente conveniente e cômodo. A partir daí, esperamos sempre retribuições deles, nossos amados, e sofreremos se eles não fizerem tudo como desejamos.

Esquecemos de abrir o círculo da afetividade para outros seres e não percebemos o quanto é saudável e imensamente vitalizante essa postura. Continuamos a convidar à mesa somente aqueles com quem fazemos questão de compartilhar mútuos interesses.

Embora, de início, não avaliemos o mal que essa atitude nos causa, é provável que soframos a solidão num amanhã bem próximo, pois os laços afetivos podem ser desfeitos pela morte física ou por separações outras. Por termos restringido esses vínculos afetivos, sentiremos certamente a tristeza de quem se acha só e abandonado como se tivesse perdido o "chão".

A observação dos jogos sociais dar-nos-á sempre uma real percepção de onde e quando existem encontros unicamente realizados para a busca de vantagens pessoais. E para que possamos promover autênticos encontros, providos de sinceridade e boas intenções, é preciso sejamos primeiramente honestos com nós mesmos, para atrairmos as legítimas aproximações, através de nossos pensamentos e propósitos de franqueza.

A vantagem dos relacionamentos sinceros é uma abertura de nossa afetividade em círculos cada vez maiores, que, por sua vez, edificarão uma atmosfera de carinho e lealdade em torno de nós mesmos, atraindo e induzindo criaturas francas e maduras a partilhar conosco toda uma existência no Amor.

Viver com naturalidade

"... *ivei com os homens de vossa época, como devem viver os homens...*"

"*... Fostes chamados a entrar em contato com espíritos de natureza diferente, de caracteres opostos; não choqueis nenhum daqueles com os quais vos encontrardes. Sede alegres, sede felizes, mas da alegria que dá uma boa consciência...*"

(Cap. XVII, item 10.)

Viver "felizes segundo as necessidades da Humanidade"[1] é viver com naturalidade, ou seja, participar efetivamente na sociedade usando nosso jeito natural de ser.

Todos nós fomos abençoados com determinadas vocações, e o mundo em que vivemos precisa de nossa cooperação individual, para que possamos, ao mesmo tempo, desenvolver nossas faculdades inatas na prática social e aumentar nossa parcela de contribuição junto à comunidade em que vivemos, no aperfeiçoamento da humanidade.

Possuímos talentos que precisam ser exercitados para que possam florescer, mas poucos de nós damos o real valor a essa tarefa. Esses mesmos talentos estão esperando nosso empenho de "se dar força", a fim de colocá-los em plena ação no intercâmbio das relações com as pessoas e com as coisas.

---

[1] "O Evangelho Seg. o Espiritismo" – cap. XVII, item 10.

Não podemos então olvidar que viver no mundo é "entrar em contato com espíritos de natureza diferente, de caracteres opostos"[2], reconhecendo que cada um dá o que tem, vive do jeito que pode, percebe da maneira que vê, admitindo que, por se tratar de tendências, talentos e vocações, todos nós temos a peculiar necessidade de "ser como somos" e "estar onde quisermos" na vida social.

Talentos são impulsos naturais da alma adquiridos pela repetição de fatos semelhantes, através das vidas sucessivas. Vocação é a "voz que chama", palavra oriunda do latim *vocatus*, que quer dizer chamado ou convocação.

Pelo fato de a Natureza ser uma verdadeira "vitrina" de biodiversidade ou multiplicidade de seres, é que cada indivíduo tem suas próprias ferramentas, úteis para laborar na lida social.

Todas as árvores são árvores, mas o pessegueiro não tem as mesmas peculiaridades do limoeiro, nem o abacateiro as da mangueira. Por isso, cada pessoa também se exprime em níveis diversos segundo as múltiplas formas com que a Sabedoria Divina nos plasmou na criação universal.

Assim, todos somos convocados a "agir no social", não com "um aspecto severo e lúgubre, repelindo os prazeres que as condições humanas permitem"[3], mas felizes, fazendo uso de nossos potenciais e faculdades prazerosamente.

Jesus de Nazaré vivia, à sua época, uma vida mística e distante da sociedade?

O Cristo de Deus se integrava intensamente no social, "participando das festas de casamento"[4], "do relacionamento

---

[2 e 3] "O Evangelho Seg. o Espiritismo" – cap. XVII, item 10.
[4] João 2:1 e 2.

fraterno, amando intensamente os amigos"[5]. "Sem preconceito algum fazia visitas e tomava refeições em companhia de
variadas criaturas"[6], percorrendo cidades, campos e estradas
sempre acompanhado dos amigos queridos e das multidões
que O cercavam.

Em vista disso, devemos entender que as leis do Criador
deram às criaturas inclinações e aptidões íntimas e originais,
para que elas pudessem conviver entre si, oferecendo a cada
uma participação também original na vida comunitária de
maneira *sui generis*.

Devemos, sim, viver no mundo com a consciência de
que somos espíritos imortais em crescimento e progresso, e
de que o nosso "ânimo de viver" em sociedade depende de
colocarmos em prática as nossas verdadeiras capacidades e
vocações da alma.

Lembremo-nos, contudo, de que a palavra "ânimo" quer
dizer "alma", do latim *animus*, e de que devemos, cada um de
nós, "viver com alma" no círculo social do mundo.

---

[5] João 15:13.
[6] Mateus 9:10.

Carma e parentela

" *union e a afeição que existem entre os parentes são indício da simpatia anterior que os aproximou; também se diz, falando de uma pessoa cujo caráter, gostos e inclinações não têm nenhuma semelhança com os de seus parentes, que ela não é da família...* "

(Cap. IV, item 19.)

Quase sempre afirmamos que a antipatia a certos membros de nossa parentela é decorrente de antigas aversões, oriundas do pretérito distante, quando ocorrências negativas ficaram mal resolvidas em nossa atmosfera cármica.

Dessa forma, justificamos aversões e incompatibilidades de gênio, transformando o ambiente familiar em verdadeiro campo de batalha, onde todos têm razão e, ao mesmo tempo, todos se dizem vítimas impotentes do destino.

Importante lembrar que, se fomos reunidos aqui e agora, é porque este é o melhor tempo para solucionarmos comportamentos inconvenientes, posturas de vida intransigentes e para promovermos nossa transformação interior, fatores imprescindíveis para o crescimento da alma.

Não se autorresponsabilizar por feitos e atitudes no presente, inocentando-se e lançando desculpas pelos desatinos do passado, é assumir a condição de injustiçado, ou mesmo, de vítima. É como afirmar que a Divina Providência cometeu para com tua existência uma falta, fazendo-te renascer em ambiente não correspondente ao teu desenvolvimento espiritual, o que logicamente é um enorme absurdo.

Não são situações de vidas passadas que te complicam os relacionamentos afetivos, e sim a continuidade dos velhos modos de pensar, das crenças incoerentes e da permanência em doentios pontos de vista de onipotência.

Adultos dominadores desenvolvem expectativas em relação ao círculo em que vivem, alterando as escolhas pessoais dos familiares. Se estes não são acostumados a pensar por si, permitem facilmente que lhes alterem as trilhas que tinham delineado e definido como metas particulares. Fatalmente, esses mesmos indivíduos um dia se revoltarão contra as atitudes de dominância e rejeitarão ser manipulados de novo, desenvolvendo assim sérios atritos no lar.

Em muitas ocasiões, por atitudes autoritárias, a profissão que é exercida difere de modo frontal daquela que a criatura escolheu. Em vista disso, ela vive constantemente contrariada, por ver frustrado o seu projeto interno, e se revolta não só contra quem desencadeou a intromissão em sua trilha de vida, mas também contra o mundo, a sociedade e contra si mesmo, por não ter lutado por tudo aquilo que desejava.

Parentes inseguros superprotegem os seus escolhidos, tornando-os impotentes em áreas em que já poderiam ser independentes. Por obrigá-los a compartilhar os seus mesmos pontos de vista, evidenciam um enorme desrespeito ao outro, demonstrando com isso que, talvez, nem eles mesmos saibam o que querem realmente da vida.

Assim, com frequência, filhos se defrontam com pais e

irmãos, lutando contra gestos de arrogância. Querem ser eles mesmos, desbravar suas próprias metas e caminhos, embora, às vezes, se anulem com certo medo de desagradar-lhes, pelo suporte e manutenção de vida que ainda recebem deles, porque, em verdade, muitos ainda não conseguiram sustentar-se material e afetivamente.

Autorresponsabilizar-se é uma dádiva que nos confere o poder de criar mudanças, pois geralmente preferimos nos desculpar, jogando a responsabilidade de nossos atos nos ombros alheios, ou nas vidas passadas, tornando-nos vítimas e eximindo-nos de contribuir com nossa parcela para eliminar melindres, ressentimentos e antipatias no seio do próprio lar.

Em razão disso tudo, para que tenhamos relacionamentos felizes no futuro, tomemos nota do lema: "O ontem já passou. Agora é a melhor ocasião para teu crescimento e renovação".

Pesos inúteis

"Se perscrutásseis melhor todas as dores que vos atingem, nelas encontraríeis sempre a razão divina, razão regeneradora, e vossos miseráveis interesses seriam uma consideração secundária que relegaríeis ao último plano..."

(Cap. V, item 21.)

Quanto mais a ciência biológica estuda as estruturas íntimas dos seres vivos, mais claramente constata que os fenômenos nascimento e morte são etapas de um processo natural da vida. Mesmo assim, nos agarramos à ideia de que somos separados da Natureza e encaramos a morte como o fim de tudo, numa visão isolada, desumana e insuportável de conceber.

Não nos auxilia em nada considerar a morte um adversário porque mesmo assim, ela continuará fazendo parte de nossa existência. E ao tentar negá-la, estaremos nos distanciando ainda mais da realidade integral.

Todavia, ao provar o sentimento de perda, passamos por uma das maiores experiências como seres humanos: somos impulsionados a uma intensa reflexão, conseguindo, a partir daí, observar melhor as verdades transcendentais da Vida.

Nada se perde no Universo do "Todo-Poderoso", tudo se transforma de modo maravilhoso, e com o passar do tempo aprendemos a entender e a aceitar a morte, numa visão harmônica e translúcida.

Em verdade, a morte física não nos tira a vida, mas simplesmente faz com que passemos a transitar por novos caminhos. E como não temos a posse sobre os outros, ou melhor, as pessoas não nos pertencem, a Vida Maior constantemente nos coloca à disposição situações e lugares novos, nos mais diversos planos existenciais, para que possamos nos enriquecer com as múltiplas experiências.

Somos nômades do Universo, viajantes das vidas sucessivas, na busca do aperfeiçoamento.

Há inconformados que sofrem por longo tempo a perda de pessoas amadas que passaram para outros níveis espirituais. É realmente aflitiva a saudade mesclada na dor, que abala a alma daquele que vê partir seus entes queridos. Ainda que a dor seja intensa, o homem deve ser honesto consigo mesmo, buscando continuadamente uma percepção mais precisa dos processos pessoais de "não-aceitação" em face da morte e uma conscientização do porquê dos "sentimentos de rejeição" que o mantêm preso a um constante círculo de pensamentos inconformistas.

Certos indivíduos sentem profunda culpa se não chorarem e não se lastimarem indefinidamente, porque acreditam que as pessoas poderão julgá-lo como desumano e desprovido da capacidade de amar os familiares que partiram.

Outros, por terem atitudes conservadoras e limitantes a respeito da afetividade, cultuam falecidos entes queridos para sempre, como se não existisse mais ninguém para amar. Exageram uma época de grande felicidade, não acreditam que possam ter ainda reencontros alegres e vivem amarrados no passado propositadamente.

Por medo da solidão, certas criaturas lamentam de forma ininterrupta a privação de seus parentes, num fenômeno quase que inconsciente, para chamar a atenção de outros familiares, a fim de que estes supram suas carências afetivas e suas necessidades básicas de consideração.

Diversas pessoas que já atravessam leves crises de melancolia, ficam sujeitas a períodos angustiantes ainda mais longos e agravados, quando perdem seus afetos. Sem se dar conta de que, se examinassem com mais cuidado as matrizes dos seus estados depressivos, melhorariam sensivelmente; e que, por projetarem a causa de sua aflição apenas sobre a perda, sofrem muito sem a mínima condição de vislumbrar a cura definitiva.

Existem almas que passam vidas inteiras ao redor de outras almas, cuidando delas. Por não ter vida própria, estão sujeitas a um grau de dependência e apego enorme. Cultivam a dor como pretexto para sentir-se mais vivas e mais estimuladas, porque tudo que lhes restou foi agarrar-se às lembranças dolorosas na crença de que não podem mais parar de sofrer pela separação dos seres amados.

Nossos sentimentos resultam dos processos de nossas percepções, emoções e sensações acumuladas ao longo das vidas pretéritas e da vida atual, e é através deles que temos toda uma forma peculiar de sentir e agir.

Não obstante, analisando nossos sentimentos de perda e interpretando os reais fundamentos de nossas dores, poderemos nos conscientizar se estamos agravando ou não "nosso sentir". As dores da separação de filhos, cônjuges, irmãos e amigos podem ser agravadas, se a elas juntarmos o sentimento de culpa, remorso, dependência, conservadorismo, medo e não-aceitação.

Lembremo-nos, porém, das palavras de Paulo: "E, quando este (corpo) mortal se revestir da imortalidade, então se cumprirá a palavra que está escrita: Tragada foi a morte na vitória. Onde está, ó morte, o teu aguilhão?"[1]

Façamos, dessa forma, uma transubstanciação de nossos padecimentos e pesares, apartando todos os "pesos inúteis", descartando-os e substituindo-os pelas "doces brisas" dos ensinos da Vida Eterna. Agindo assim, veremos abrandar em pouco tempo nosso coração turvado e pesaroso, que depois se tornará verdadeiramente aliviado e translúcido.

---

[1] I Coríntios 15:54 e 55.

O Espiritismo

" *O Espiritismo é a nova ciência que vem revelar aos homens, por provas irrecusáveis, a existência e a natureza do mundo espiritual, e suas relações com o mundo corporal; ele no-lo mostra, não mais como uma coisa sobrenatural, mas, ao contrário, como uma das forças vivas e incessantemente ativas da Natureza...* "

(Cap. I, item 5.)

Uma visão sobre a Vida Maior renasce no século XIX na França: verdadeiro ato heroico fez o notável professor Allan Kardec, ao trazer toda uma ideia sobre espiritualidade para o Velho Mundo, até então adormecido pelas doutrinas materialistas e lucrativas vigentes na época.

O Estado e as classes sociais dominadoras transformavam os interesses de alguns em necessidades de todos. Para assegurar privilégios e poder, usavam dos instrumentos possíveis, desde as religiões, meios de comunicação e até a escola, como difusão de crenças e valores que lhes garantissem a ordem social e seus ideais como verdades de todos.

A religião como instituição sagrada se convertia em instrumento e, ao mesmo tempo, vítima do processo.

Os sacerdotes eram os donos das almas há séculos, e os destinos das criaturas estavam circunscritos às decisões eclesiásticas, que detinham o cetro "divino" da absolvição ou da condenação.

Acreditava-se que as consciências não tinham estrutura de fato para fazer avaliações sobre o certo e o errado; por isso eram manipuladas por crenças autoritárias e arbitrárias, ditadas por homens intransigentes e fanáticos.

A missão imposta às escolas e às universidades era a de contribuir para a difusão/consolidação de ideologias criadas por esses grupos detentores da decisão, formando consciências submissas e servis, tementes a Deus, ao Rei e ao Estado e impondo-se com argumentos incompatíveis com a ordem divina, para atender a necessidades camufladas pelos herdeiros privilegiados e arrogantes de uma sociedade absolutista.

O eminente educador Rivail, homem de uma religiosidade missionária, traz à França, em meio ao positivismo de Augusto Comte, a ideia imortalista do Espiritismo.

Apesar de a crença na reencarnação ter sido banida do movimento religioso pelos concílios ecumênicos da Antiguidade, Kardec a apresenta ao mundo sob a supervisão dos Espíritos Superiores, estabelecendo assim novos rumos à sociedade, presa a conceitos de superioridade de nascimento e graças especiais entre os escolhidos.

Os preconceitos de classe social, cor e sexo caem por terra, já que pela roda das encarnações sucessivas poderemos habitar os mais diferentes corpos e pertencer às mais diversas castas da sociedade; a família patriarcal e possessiva já não tem razão de ser e a servidão da mulher toma conotação de crença despótica e machista.

Faz-se então uma verdadeira revolução nos costumes medievais que ainda vigoravam na época, a qual encontra consideração por parte de alguns, pela lógica e discernimento da vida como um todo, e oposição sistemática por parte de outros, pelo grau de imaturidade psicológica deles e por mexer em valores íntimos de convencionalismo e superstição arraigados em suas consciências através dos tempos.

O Espiritismo fez renascer nas almas a compreensão da verdadeira natureza do homem e a percepção de que seu destino é fruto de suas escolhas.

Imortalidade da alma e vidas sucessivas são algumas das bases sólidas que abalaram os alicerces de toda uma coletividade estruturada numa visão distorcida da verdade universal. A nova ideologia estabelece por crença indispensável a fraternidade, como concepção de vida real a ser incorporada pelos indivíduos e grupos à medida que suas necessidades espirituais forem tomando aspectos de ascensão e conhecimento.

A Doutrina Espírita é um método extraordinário de educação. A sobrevivência após a morte, a preexistência e a evolução das almas ainda são quase que totalmente desconhecidas pelos povos com ares de hegemonia. Porém, ao tempo certo, delas tomarão consciência, conforme afirma o apóstolo Paulo, quando escreve às igrejas da Galácia: "... porque a seu tempo tudo ceifaremos..."[1]

---

[1] Gálatas 6:9.

Todos são caminhos

"... Por que essa porta tão estreita, que é dada ao menor número transpor, se a sorte da alma está fixada para sempre depois da morte? É assim que, com a unicidade da existência, se está incessantemente em contradição consigo mesmo e com a justiça de Deus. Com a anterioridade da alma e a pluralidade dos mundos, o horizonte se amplia..."

(Cap. XVIII, item 5.)

Também os caminhos inadequados que tomamos ao longo da vida são parte essencial de nossa educação. A cada tropeço é preciso aprender, levantar novamente e retornar à marcha.

Tudo o que sabemos hoje aprendemos com os acertos e erros do passado, e cada vez que desistimos de alguma coisa por medo de errar estamos nos privando da possibilidade de evoluir e viver.

A estrada por onde transitamos hoje é nossa via de crescimento espiritual e nos levará a entender melhor a vida, no contato com as múltiplas situações que contribuirão com o nosso potencial de progresso.

Devemos, no entanto, indagar de nós mesmos: "Será este realmente meu melhor caminho?" "Porventura é correta a senda por onde transito?"

É justa a observação e têm propósito nossas dúvidas; por isso, raciocinemos juntos:

• Se Deus, perfeição suprema, nos criou com a probabilidade do engano, modelando-nos de tal forma que pudéssemos encontrar um dia a perfeição, é porque contava com nossos encontros e desencontros na jornada existencial.

• Se nos gerou falíveis, não poderá exigir-nos comportamentos sempre irrepreensíveis, pois conhece nossas potencialidades e limites.

• Se criaturas como nós aceitamos as falhas dos outros, por que o Criador em sua infinita compreensão não nos aceitaria como somos?

• Pessoas não condenam seus bebês por eles não saberem comer, falar e andar corretamente; por que espíritos ainda imaturos pagariam por atos e pensamentos que ainda não aprenderam a usar convenientemente, pela sua própria falta de madureza espiritual?

• O que pensar da Bondade Divina, que permite que as almas escolham seu roteiro, de acordo com o livre-arbítrio, e depois cobrasse aquilo que elas ainda não adquiriram?

A Divindade é "Puro Amor" e sabe muito bem de nossos mananciais espirituais, mentais, psicológicos e físicos, ou seja, de nossa idade evolutiva, pois habita em nosso interior e sempre suaviza nossos caminhos.

Na justa sucessão de espaço e tempo, condizente com o nosso grau de visão espiritual, recebemos, por meio do fluxo divino, a onipresença, a onisciência e a onipotência do Criador em forma de "senso de rumo certo", para trilharmos as rotas necessárias à ampliação de nossos sentimentos e conhecimentos. Diz a máxima: "Não se colhem figos dos espinheiros"[1]; ora,

---

[1]Lucas 6:44.

como impor metas sem levar em conta a capacidade de escolha e de discernimento dos indivíduos?

Efetivamente, nosso caminho é o melhor que podíamos escolher, porque em verdade optamos por ele, na época, segundo nosso nível de compreensão e de adiantamento. Se, porém, achamos hoje que ele não é o mais adequado, não nos culpemos; simplesmente mudemos de direção, selecionando novas veredas.

A trilha que denominamos "errada" é aquela que nos possibilitou a aprendizagem e o sentido do nosso "melhor", pois sem o erro provavelmente não aprenderíamos com segurança a lição.

Nós mesmos é que nos provamos; a cada passo experimentamos situações e pessoas, e delas retiramos vantagens e ampliamos nosso modo de ver e sentir, a fim de crescermos naturalmente, desenvolvendo nossa consciência.

Ninguém nos condena, nós é que cremos no castigo e por isso nos autopunimos, provocando padecimento com nossos gestos mentais.

Aceitemos sem condenação todas as sendas que percorremos. Todas são válidas se lhes aproveitarmos os elementos educativos, porque, assim somadas, nos darão sabedoria para outras caminhadas mais felizes.

Mesmo aquelas trilhas que anotamos como caminhos do mal, não são excursões negativas de perdição perante a vida, mas somente equivocadas opções do nosso livre-arbítrio, que não deixam de ser reeducativas e compensatórias a longo prazo.

Cada um percorre a estrada certa no momento exato, de conformidade com seu estado de evolução. Tudo está certo, porque todos estamos nas mãos de Deus.

Um impulso natural

"...Esse sentimento resulta mesmo de uma lei física: a da assimilação e da repulsão dos fluidos..."

"...daí a diferença de sensações que se experimenta à aproximação de um amigo ou de um inimigo..."

"...Amar os inimigos... é não ter contra eles nem ódio, nem rancor, nem desejo de vingança..."

(Cap. XII, item 3.)

"Amar os inimigos não é, pois, ter para com eles uma afeição que não está na Natureza, porque o contato de um inimigo faz bater o coração de maneira bem diferente do de um amigo."[1]

Na investigação profunda da raiva, do rancor ou da ira, devemos considerar os poderosos e irracionais impulsos de agrcssividade, espontâneos e inatos na psique humana. São emoções ou formações psíquicas que o espírito partilha com o mundo animal, do qual faz parte e de onde evoluiu.

A moderna teoria evolutiva deve mais a Charles Darwin do que a qualquer outro evolucionista, pois foi toda ela construída nas bases de sua obra intitulada "A Origem das Espécies". Hoje está provado cientificamente que as criaturas humanas sofreram um processo de evolução extraordinário.

---

[1] "O Evangelho Segundo o Espiritismo" – cap. XII, item 3.

Somente do hominídeo pré-histórico denominado de "Java" ou "Pithecanthropus erectus" até o homem moderno, transcorreram milhares e milhares de anos de desenvolvimento e aprimoramento do organismo do ser vivo.

Dessa forma, não podemos separar a Natureza de nós mesmos, pois também somos Natureza, já que pertencemos aos mesmos departamentos da vida, desde o mineral, vegetal, animal até ao homem. Na Natureza tudo foi criado com um objetivo e função, porque nada do que está em nós está errado. O que acontece é que, muitas vezes, usamos mal – ou seja, não aprendemos a usar convenientemente e dentro de um senso de equilíbrio – as possibilidades mais íntimas de nossa alma imortal.

Em nossos parentes distantes, os animais irracionais, existe o impulso do ataque/defesa. Manifesta-se também em nós esse mesmo impulso, denominado "instinto de destruição". É ele uma das primeiras manifestações da lei de preservação, da sobrevivência dos animais em geral, e imprescindível para defendê-los dos perigos da vida.

Nos dias atuais, o termo "raiva" talvez tenha sido interpretado como sendo somente crueldade, violência, vingança, quando, na realidade, significa primordialmente "estado de alerta", visto que essa energia emocional nos aguça todos os demais sentidos, para uma eventual necessidade de proteção e apoio a qualquer fato ou situação que nos coloque em ameaça.

Esse impulso natural possibilita à nossa mente uma maior oportunidade de elaboração, percepção e raciocínio, deixando-nos alerta para enfrentar e sustentar as mais diversas dificuldades. Ativa nossos desejos de realização, impulsiona ações determinantes para rompermos a timidez e constrangimentos, encoraja-nos a nos colocar no meio social e estimula-nos a defesa/fuga diante de situações de risco.

Em vista disso, entendemos que exaltação, irritação, melindre, raiva, ódio, violência ou crueldade fazem parte da mesma família desse impulso, bem como coragem, persistência, determinação, audácia, valentia. Podemos sentir essas mesmas emoções, em níveis diversos de intensidade, de conformidade com nosso grau de evolução, conceituando esse ímpeto com nomenclaturas diversificadas.

A etimologia da palavra "emoção" significa "movimento para fora" e pode ser conceituada com sendo "movimento que sobe ou emerge em face de um possível estado de prazer ou dor".

Emoções de "construção", assim denominadas a simpatia e o afeto, aparecem com a "antecipação do prazer"; já as emoções de "destruição", também conhecidas como raiva ou irritação, surgem com a "antecipação da dor".

Destruição e construção, isto é, raiva e prazer, são os grandes impulsos de onde derivam todos os demais. Os instintos de construção e destruição são as fontes primitivas às quais todo o processo da vida está ligado e, por certo, o seu controle e direcionamento darão um melhor ou pior curso em nossa existência e em nosso crescimento pessoal.

Portanto, quando ao ser humano é negado o direito de expressar sua raiva ou prazer, castrado nos seus primeiros anos de vida, torna-se uma criança indefesa, com tendência a ter uma personalidade tímida, medrosa e passiva. Já as "tolerâncias ilimitadas" dos pais nessas áreas induzirão o menor a se confundir com o uso de seus impulsos de agressividade e afeto, podendo atingir igualmente, em seu estado adulto, comportamentos apáticos e demonstrar uma enorme falta de iniciativa, infantilização ou superlativa dependência do lar.

Grande parte dos professores, tios, pais e avós mantêm uma forma de visão preconceituosa e obstinada sobre a "raiva", soterrando os instintos inatos da criança, castigando-a e vendo-a como criatura má e imperfeita, a qual atribuem atitudes reprováveis.

Por acreditarem que tais energias emocionais sejam completamente condenáveis e inadmissíveis, é que forçam os pequenos a ser, a qualquer preço, "adaptados" e "bem-comportados", à maneira deles. Isso irá gerar mais adiante posturas de isolamento e distanciamento dos adultos, por lhes ter sido negado o exercício de aprender a comandar suas mais importantes e primitivas emoções.

Na contenção da raiva no adulto, notamos o escoamento do instinto para outros órgãos do corpo físico, surgindo assim a somatização com o aparecimento neles dos primeiros sinais de doença, pois para lá que a energia reprimida se transferiu e se localizou.

Em outras situações, as manifestações do descontrole dessas energias geram crises de fúria, predisposições ao suicídio, apatias, acerbações sexuais, paralisias histéricas, sentimentos de culpa, fobias e outros tantos transtornos espirituais e mentais.

Todas as vezes que somos incomodados ou defrontados com agressores, o impulso de raiva vai surgir. Ele é automático, é nosso "estado de alerta", que nos vigia e que nos defende de tudo aquilo que pode nos comprometer ou destruir.

Nas criaturas mais amadurecidas, contudo, os impulsos instintivos moldaram-se à sua mentalidade superior, e elas passaram a controlá-los, canalizando-os de forma mais adequada e coerente. Esses dois impulsos fundamentais, o prazer e a raiva, nesses mesmos indivíduos foram depurados em seus estados primitivos – atividades eróticas e violentas – e transformados nas atividades das áreas afetiva e de iniciativa com determinação.

Essencialmente, porém, é preciso dizer que o ato de transformação do impulso de destruição não requer a "anulação" ou "extinção" dele em nossa intimidade, e sim o aprendizado de transmutá-lo, observando o que diz literalmente a palavra "transformação", oriunda do latim: *trans* quer dizer "através de"; "forma", o modo pelo qual uma coisa existe ou se manifesta; e *actio*, "ação". Entendemos por fim que, **"através de novas ações, mudaremos as formas pelas quais a raiva se manifesta"**, sem, todavia, aniquilá-las ou exterminá-las.

Com essa visão, a proposta salutar de canalizar e sublimar a agressividade é promover-nos profissionalmente, criando atividades educativas, usando práticas do esporte e outras tantas realizações. Todos aqueles que se dedicam às atividades nas áreas da criatividade, como poetas, pintores, oradores, escultores, artesãos, escritores, compositores e outros, fazem parte das criaturas que direcionam seus impulsos de agressividade para as artes em geral, sublimando-os.

Por sua vez, os que se exercitam fisicamente constituem exemplos clássicos daqueles que escoam naturalmente para o espor-te sua energia de raiva. Outros tantos a transformam, redirecionando-a para as atividades junto aos carentes, nas obras e instituições de promoção e assistência social.

Quando as crianças insistirem em cortar, destruir, quebrar, arrancar, esmagar, torcer, bater ou amassar, estão apenas manuseando suas emoções emergentes de raiva ou seus impulsos agressivos, para que saibam usá-los no futuro com controle e conveniência. Em vez de censurá-los e criticá-los, devemos oferecer-lhes um "material adequado", para que essas manifestações possam ocorrer plenamente, sem dissabores ou demais prejuízos.

Desse modo, "amar os inimigos não é, pois, ter para com eles uma afeição que não está na Natureza"[2]. Nossas emoções são energias que obedecem às leis naturais da vida, são previstas nos estatutos da "Lei de destruição" e da "Lei de conservação", e agem mecanicamente, pois são disparadas ao detectarmos nossos adversários.

Não obstante, "o contato de um inimigo faz bater o coração de maneira bem diferente do de um amigo"[3], quer dizer, a emoção energética da raiva ativa a glândula supra-renal, que libera a adrenalina no sangue. O coração acelera, a pressão arterial sobe, a respiração se intensifica, os músculos se contraem; daí sentirmos essa sensação estranha e incômoda.

Em síntese, "amar" os inimigos ou adversários, na interpretação do ensino de Jesus Cristo, não é nutrir por eles ódio ou qualquer propósito de vingança, nem mesmo desejar-lhes mal algum. Acima de tudo, o Mestre queria dizer que nossas emoções inatas de raiva, em nosso atual contexto evolutivo, não querem, em verdade, destruir nada do que está "fora de nós", como se fazia nos primórdios da evolução. Ao contrário, elas querem nos defender, destruindo conceitos, atitudes e pensamentos "dentro de nós", os quais nos tornam suscetíveis e vulneráveis ao mundo e, consequentemente, nos fazem ser atacados, machucados e ofendidos.

[2 e 3] "O Evangelho Segundo o Espiritismo" – cap. XII, item 3.

Desapego familiar

"... $\mathcal{M}$ *as ele lhes respondeu: Quem é minha mãe e quem são meus irmãos? E olhando aqueles que estavam sentados ao seu redor: Eis, disse, minha mãe e meus irmãos; porque todo aquele que faz a vontade de Deus, este é meu irmão, minha irmã e minha mãe."*

(Cap. XIV, item 5.)

Em correta acepção, desapego quer dizer o sentimento de alguém que desenvolveu sua capacidade de avaliar e selecionar o que "pode" e o que "deve fazer", estruturado em seu próprio senso de autonomia.

Agarrar-se a familiares de modo exagerado gera desajustes e doenças psicológicas das mais diversas características: desde a mais leve das inseguranças – se deve ou não sair de casa para um passeio a sós, ou que roupa deve usar – até o pânico incontrolável de tudo e de todos, que leva o indivíduo ao desequilíbrio em seu desenvolvimento e maturidade emocional.

A reencarnação faz o ser humano exercitar a independência, quando propõe que ele é um viajante temporário entre pessoas, sexo, profissão, países, continentes ou mundos.

Não obstante, ela não destrói os laços do amor verdadeiro, antes cria diversos vínculos afetivos entre as almas. Pais, cônjuges, filhos e amigos voltam a conviver em épocas e em posições completamente diferentes, estabelecendo na consciência uma maneira universalista de ver os relacionamentos da afeição e da simpatia, sem aprisionamentos ou dependências.

É importante compreendermos que, mesmo em família, não viemos à Terra só para fazer o que queremos, para satisfazer nossos caprichos ou nos agradar, pois não devemos nos ver como devedores ou cobradores uns dos outros, mas como criaturas companheiras que vieram cumprir uma trajetória evolutiva, ora juntas no mesmo séquito consanguíneo. Desse modo, devemos levar em conta a individualidade de cada membro familiar e respeitá-lo, sem imposições ou submissões, pelo modo peculiar que encontrou de ser feliz e dirigir sua própria existência.

Cada pessoa que vive neste planeta deve aprender suas próprias lições, e é inconcebível tentarmos fazer os deveres por elas, porque cada uma aprende com suas próprias experiências e no momento propício.

Podemos, sim, oferecer aos familiares uma atmosfera de compreensão e apoio, para que tenham por si sós a decisão de mudar quando e como desejarem, atitudes essas que permitem relacionamentos seguros e duradouros.

É imperativo que se entenda que as ações possessivas criam indivíduos servis e profundamente inseguros, que futuramente precisarão ter sempre os familiares em sua volta, como uma "corte", a fim de se sentir amparados.

O exemplo clássico de criaturas apegadas é o daquelas que foram criadas por "superpais", e que durante muito tempo se mantiveram subjugadas e presas pelos fios invisíveis dessa "suposta proteção", que, na realidade, era apenas uma "forma inconsciente" de suprir fatores emocionais desses mesmos adultos em desarranjo.

Crianças que foram educadas sob a orientação de adultos incapazes de estabelecer limites às vontades e desejos delas, contentando-as de forma irrestrita, sem nenhuma barreira, desenvolveram dependências patológicas que geraram progressivamente uma acentuada incapacidade de resolver problemas peculiares a sua idade, enquanto outras, nessa mesma idade, mostraram-se perfeitamente habilitadas para encará-los e solucioná-los.

Crianças que se jogam ao chão, entre crises de falta de fôlego e de choro fácil, sem nenhuma razão de ser, são consideradas mimadas. Tais comportamentos resultam do fato de terem sido tratadas como incapazes e com atitudes infantilizadas.

Pessoas inseguras e insuficientemente maduras educam os filhos da mesma maneira que foram criadas, repetindo para sua atual família os mesmos comportamentos "superprotetores" que vivenciaram na fase infantil; ou mesmo, por terem tido uma enorme experiência de rejeição no lar, também adotam a "superproteção" como forma de compensar tudo o que passaram e sofreram na infância.

Encontramos uma das maiores lições sobre a liberdade e o desapego nas palavras de Jesus de Nazaré, quando se aproveitou da circunstância em que estavam reunidas várias pessoas, e lançou o ensinamento do "amor sem fronteiras".

Apesar de respeitar e amar profundamente sua família, exaltou o "desapego familiar" como a meta que todos deveríamos atingir, a fim de alcançarmos os superiores princípios da fraternidade universal e o verdadeiro sentido da liberdade integral.

Grau de sensibilidade

" ...*Homens de uma capacidade notória que não a compreendem, enquanto que inteligências vulgares, de jovens mesmo, apenas saídos da adolescência, a apreendem com admirável exatidão em suas mais delicadas nuanças...*"

(Cap. XVII, item 4.)

Na realidade, são homens sensíveis todos aqueles que aprenderam a focalizar intensamente a essência das coisas. Sabem sintetizar e observar sem julgamentos prévios as ocorrências e assuntos, examinando-os como eles se apresentam realmente, com uma lucidez e discernimento cada vez maiores.

Sensibilidade é patrimônio do espírito que já atingiu um certo grau de percepção e detecção proveniente do âmago dos fatos. Faculdade esta alicerçada no "senso de realidade", que tem a capacidade de penetrar nas ideias novas, captá-las e analisá-las sutilmente, com admirável eficiência e exatidão.

Há criaturas, porém, que se apegam somente aos fenômenos e manifestações espetaculares do mundo espiritual. Imaturas e insensíveis, não compreendem as consequências éticas existentes por detrás dessas mesmas manifestações. Não percebem os horizontes ilimitados que se descortinam em razão da crença na imortalidade das almas, pois não foram "tocadas no coração" pelo sentimento de que o Universo é o lar que abriga a todos nós, viajantes na embarcação da Vida.

Por não possuírem a "parte essencial", não tomam consciência do fato de que existir é participar de uma constante renovação, que impulsiona as criaturas ao auto-aperfeiçoamento. Há tempo de começar, crescer, transformar e recomeçar, num eterno reciclar de experiências.

Todavia, aqueles cujo "nível de maturidade" foi desenvolvido, se diferenciam dos outros porque focalizam com seus sentidos acurados as profundezas das coisas e, em muitas ocasiões, conseguem até perceber que certas ciências são muito mais espiritualistas do que determinadas crenças ou cultos religiosos.

Ciências há que transcendem à vida física pelo somatório de bases universalistas: observam, no interagir das relações entre seres vivos e o meio ambiente uma associação harmônica de "Ordem Divina" e de cunho fraternal. Por outro lado, certas religiões deixam muito a desejar quanto ao sentimento de fraternidade: promovem recompensas imediatas e ficam presas a dogmas materialistas de infalibilidade e autoritarismo.

Os seres humanos sensíveis estão despertos tanto em seus sentidos externos quanto internos, estão vivos em plenitude, pois experimentam a atmosfera de cada momento.

Estão sempre refletindo e discernindo suas emoções e sentimentos, porque já se permitem experimentar toda uma sucessão de sensações, que decorrem das experiências nas relações humanas.

Portanto, podemos confiar em que cada um de nós, a seu tempo, sensibilizar-se-á pelas coisas espirituais, visto que o desenvolvimento de nosso grau evolutivo transcorre natural e incessantemente em decorrência dos impulsos de progresso que recebemos das leis divinas existentes em nós mesmos.

Aqueles que se prendem unicamente aos fenômenos mediúnicos e em nada se transformam espiritualmente encontrarão mesmo assim, nesse comportamento, "um primeiro passo que lhes tornará o segundo mais fácil numa outra existência"[1]. Trata-se de um processo que não ocorre da noite para o dia, mas que se vai projetando ao longo do tempo e sempre acontece quando estamos prontos para crescer. Aliás, "quando o aluno está pronto, o professor sempre aparece".

---

[1] "O Evangelho Segundo o Espiritismo" – cap. XVII, item 4.

Incógnitas

"... *odos tendes más tendências a vencer, defeitos a corrigir, hábitos a modificar; todos tendes um fardo mais ou menos pesado a depor para escalar o cume da montanha do progresso. Por que, pois, serdes tão clarividentes para com o próximo e cegos em relação a vós mesmos?...*"

(Cap. X, item 18.)

Analisas a obra assistencial e a criticas, afirmando que a tarefa poderia ser muito melhor, que o atendimento requer técnicas mais apropriadas e que, se outras prioridades fossem atingidas, então as metas sociais seriam mais abrangentes.

Mas não te dispões a doar tuas mãos na realização de uma vida melhor aos necessitados.

Analisas o expositor e o criticas, argumentando que a narrativa poderia ser mais convincente e menos enfadonha. Que se ele lançasse mão de recursos de oratória e tivesse um vocabulário mais rico, prenderia mais a atenção e elucidaria melhor os ouvintes.

Mas não te dispões a ler e a estudar, e muito menos a falar em público no serviço de reeducação das pessoas, retirando-as das crenças negativas que bloqueiam vidas.

Analisas o administrador do serviço e o criticas, asseverando que ele mantém posição intransigente e orgulhosa, e julgas que ele deveria ser mais humilde e compreensivo no trato com os dirigidos.

Mas não te dispões a usar a mesma compreensão e humildade exigidas dele, não percebendo que vês o cisco no olho dos outros, e não vês a trave no teu.

Analisas a conduta alheia e a criticas, observando rigorosamente procedimentos e atitudes que julgas inadmissíveis, e te colocas distante e impermeável a condutas levianas.

Mas não te dispões a ajudar sinceramente a ninguém, e te esqueces de que poderás vir a errar, pois todos os que vivem sobre a Terra são passíveis de enganos e desacertos.

Analisas o governo do país e o criticas, julgando pela tua ótica que todos os parlamentares ou ocupantes de cargos governamentais não são confiáveis nem bons servidores, e que a nação está envolvida no caos.

Mas não te dispões a cooperar e nada fazes pela comunidade em que vives, relegando somente aos governantes obrigações e deveres, esquecendo que todos nós vivemos interligados e que depende também de ti o bem-estar e a prosperidade da população.

Analisas dores e sofrimentos e criticas a vida, dizendo-te sozinho e desamparado perante a Providência Divina e que Deus te abandonou.

Mas não te dispões a renovar-te, não te dando conta que, se não fizeres auto-observação em teus atos e atitudes negativas, continuarás atraindo energias desconexas que te descontrolarão o cosmo orgânico.

Incoerente é a posição de toda criatura que reclama, critica, ofende, esbraveja e que nunca se faz apta a fazer algum bem, em favor de si mesma ou dos outros.

Perplexos ficamos todos nós diante das rogativas das pessoas que solicitam ajuda com os lábios, e nunca com ações; que muito pedem, e nunca doam; que somente visualizam as necessidades próprias, e nunca veem a vida como um ritmo cósmico interconectado com todas as coisas, de maneira que o "todo" é mantido pelo apoio das "partes".

Examinemos, pois, com profundidade nossas críticas, porque elas dificultam a transformação e o progresso de nossa existência, se não forem estruturadas na reflexão e na reparação de nossos erros.

Para que não sejas uma incógnita na vida que Deus te proporcionou, não faças crítica pela crítica, mas sim trabalha como e quanto puderes, sempre em tua órbita de possibilidades, para que a prosperidade seja uma constante em teus caminhos.

Estado mental

" ... *O egoísmo é, pois, o objetivo para o qual todos os verdadeiros crentes devem dirigir suas armas, suas forças e sua coragem; digo coragem porque é preciso mais coragem para vencer a si mesmo do que para vencer os outros...*"

(Cap. XI, item 11.)

Para que atinja a espiritualidade, já afirmavam as antigas religiões do Oriente, seria preciso que o homem se apartasse do "maya", que são as ilusões da existência, do nascimento e da morte.

Para que pudesse conquistar o "nirvana", diziam que seria imperativo extinguir todo o desejo de ser, aniquilando assim o "ego", que é a individualidade exaltada e distraída pelas fantasias do mundo.

Ao mesmo tempo, encontramos Jesus Cristo instruindo-nos que, para alcançarmos o "Reino de Deus", é preciso nos despojarmos do "egoísmo", o terrível adversário do progresso espiritual.

As Bem-Aventuranças do Mestre nada mais são do que vias para se alcançar a iluminação, ou seja, elevar-se através da mansuetude, humildade e simplicidade, abandonando todo sentimento de personalismo.

A moderna psicologia tem toda a atenção voltada para que as pessoas entrem em contato com a realidade e terminem com suas ilusões, que são as causas da distorção de sua visão e percepção de si mesmas em relação às outras.

O "maya" das religiões orientais era tudo que impedia as almas de atingir o estado de "bem-aventurados", também conceituado como "nirvana" ou "reino dos céus", conforme as diferentes denominações e crenças religiosas.

É realmente a ilusão de satisfazermos os próprios interesses em detrimento dos interesses dos outros que caracteriza o estado de egoísmo – um conjunto enorme de ilusões, que nos tira do senso de realidade e de uma compreensão mais acurada de tudo e de todos.

"Não devo ser contrariado", "Preciso controlar os outros", "Sou dono da verdade", "Nunca poderia ter acontecido comigo" são atitudes ilusórias herdadas por nós de crenças despóticas e prepotentes, filhas da egolatria, ou seja, do "culto ao eu".

As ilusões de "tudo para mim" ou de "tudo girar em torno de mim" vêm do interesse individualista, resquício da animalidade por onde transitamos, em priscas eras, em contato com os reinos menores da natureza.

A caça no mundo animal nada mais é do que o uso dos instintos de preservação e conservação. Felinos de grande ou pequeno porte como, por exemplo, o leão e o gato, matam seres indefesos e cordiais, como o antílope e o beija-flor, para alimentar unicamente a si próprios e suas crias. Não devem, porém, ser considerados como egoístas e cruéis, pois somente colocam em prática os mecanismos atávicos de sua criação, frutos da própria Natureza.

"O egoísmo e o orgulho têm a sua fonte num sentimento natural: o instinto de conservação. Todos os instintos têm sua razão de ser e sua utilidade, porque Deus nada pode fazer de inútil."[1]

Com a simples presença no lar de um segundo filho do casal, é perceptível em quase todas as crianças a necessidade exclusivista de atenção dos pais em torno delas, como centro de tudo. É natural e compreensível o aparecimento do impulso egóico.

O medo de perder suas satisfações, cuidados e compensações psicoemocionais faz com que a criança nessas condições use o "instinto de preservação", a fim de "conservar" o carinho, o afago e o amor, antes somente voltados para ela, e agora divididos com o novo irmão.

O denominado ciúme ou egocentrismo infantil não poderá ser considerado anormal, desde que não tome proporções alarmantes. É uma reação natural diante de situações verdadeiras ou imaginadas, de perda de afeto, podendo existir sutilmente disfarçada ou claramente demonstrada.

Nas criaturas que desenvolvem seus primeiros passos no aperfeiçoamento ético-moral, a tendência egoística é um estado instintivo, próprio do seu grau evolutivo, e não um defeito de caráter incompreensível, nem uma imperfeição inexplicável da índole humana.

"Esse sentimento, encerrado em seus justos limites, é bom em si; é o exagero que o torna mau e pernicioso..."[2] Como o feto necessita, por determinado tempo, do cordão umbilical ou mesmo da placenta para sua manutenção, assim também a humanidade transformará gradativamente esse impulso inato e

---

[1 e 2] "Obras Póstumas" – Allan Kardec, cap. O egoísmo e o orgulho.

ancestral, adquirido através dos séculos e séculos, na luta pela sobrevivência nos estágios primitivos da vida.

Essa mesma humanidade absorverá no futuro atitudes mais equilibradas e coerentes com seu patamar evolutivo, aprendendo a usar cada vez melhor seus sentimentos, antes somente instintos.

Dessa forma, entendemos que o egoísmo, esse agrupamento de ilusões de supremacia, existirá por determinado período de tempo nas criaturas, até que elas consigam se conscientizar de que a atitude de "lavar as mãos", de Pôncio Pilatos, isto é, consideração excessiva aos seus interesses pessoais, agindo arbitrariamente, trará sempre desilusões e obstrução na percepção do mundo em que vivemos. Já o exemplo do Cristo nos transfere a uma ampla realidade de que o amor é a única força capaz de nos trazer lucidez e equilíbrio no relacionamento conosco e com os outros.

Eis o antídoto contra o egoísmo: "Não fazer aos outros o que não gostaríamos que os outros nos fizessem".

Os olhos do Amor

"Ainda quando eu falasse todas as línguas dos homens, e mesmo a língua dos anjos, se não tivesse caridade não seria senão como um bronze sonante..."

"... A caridade é paciente; é doce e benfazeja; a caridade não é invejosa; não é temerária e precipitada; não se enche de orgulho; não é desdenhosa; não procura seus próprios interesses; não se melindra e não se irrita com nada..."

(Cap. XV, item 6.)

Quando Paulo de Tarso definiu a verdadeira caridade, deixando implícito ser a "reunião de todas as qualidades do coração", isto é, o "amor", diferenciou-a completamente da prestação de serviços aos outros, da distribuição de esmolas, da assistência social, da ajuda patológica aos dependentes afetivos, de compensações de baixa estima, ou de tudo que se referia a atitudes exteriores, sem qualquer envolvimento do amor verdadeiro.

Reforçou seu conceito acrescentando que: "E quando tivesse distribuído meus bens para alimentar os pobres, e tivesse entregado meu corpo para ser queimado, se não tivesse caridade, tudo isso não me serviria de nada".

Muitas vezes, "doamos coisas" ou "favorecemos pessoas", a fim de proporcionar a nós mesmos, temporariamente, uma sensação de bem-estar, de poder íntimo ou de vaidade pessoal, com o que compensamos nossos desajustes emocionais e complexos de inferioridade.

São sentimentos transitórios e artificiais que persistem entre as criaturas, que, por não se encontrarem satisfeitas consigo mesmas, trazem profunda desconsideração e desgosto, e supervalorizam-se fazendo "algo para o próximo", para provar aos outros que são boas, importantes e merecedoras de atenção.

Na realidade, caridade é amor, e amor é a divina presença de Deus em nós. Raio com que Ele modela tudo, o amor é considerado a real estrutura da vida e a base de toda a Lei Universal.

É imprescindível esclarecermos que há inúmeras formas de focalizar a caridade, e nós nos reportaremos a ela como o "amor-essência" – energias que emergem de nossa natureza mais profunda: a Onipresença Divina que habita em tudo.

Minerais, vegetais, animais e seres humanos, ao mesmo tempo em que vibram também recebem essa "vitalidade amorosa", num fenômeno de trocas incessantes. Um mineral de rocha permanecerá como tal, enquanto a "atração" e a "tendência" de seus átomos e moléculas se mantiverem atraídos e integrados uns aos outros. Tais "atrações" constituem os primeiros estágios dessa energia do amor nos seres primitivos. Semelhante "poder atrativo" prospera e se movimenta em cada fase da vida, de conformidade com o grau evolutivo em que se encontram os elementos e as criaturas em ascensão.

Observemos a Natureza: propensões, gostos e identificações com as quais se particularizam cada ser do Universo, inclusive a própria criatura humana, são movimentações dessa "força de predileção", nomeada comumente por "aspiração amorosa".

Segundo o apóstolo João, "Deus é Amor: aquele que permanece no amor permanece em Deus e Deus permanece nele"[1]. Consequentemente, nós, herdeiros e filhos Dele, somos

---

[1] I João 4:16.

Amor, criados por esse plasma divino; portanto, somos oriundos do "Amor Incomensurável", que sustenta e dirige suas criaturas e criações universais.

Todos estamos nos descobrindo no processo dinâmico da evolução, que se assemelha a um gradativo despetalar de camadas e mais camadas; inicia-se pelas mais densas até atingir "o cerne" – nosso âmago amoroso.

"Deus fez os homens à sua imagem e semelhança"[2] e, dessa forma, somente conheceremos o verdadeiro sentido da caridade como amor criativo, integrador e generoso, quando tivermos uma clara consciência de nós mesmos.

No momento em que passamos a identificar nos outros a mesma essência de amor da qual eles e nós somos feitos, seremos capazes de discernir o que é o sentimento de caridade. Seja jovens, velhos, crianças, sadios ou doentes, seja homens ou mulheres, se passarmos a amá-los incondicionalmente, como nos exemplificou Jesus, Nosso Mestre e Senhor, aí estaremos completamente integrados na caridade.

Caridade não consiste em assumir e comandar sentimentos, decisões, bem-estar, problemas, evolução e destino das pessoas, aquilo, enfim, que elas podem c devem fazer por si mesmas, porque quando tentamos reduzir as dificuldades delas, responsabilizando-nos por seus atos, estamos também impedindo seu real crescimento e amadurecimento, somente alcançados através das experiências que precisam enfrentar. Assim, distorcemos a genuína mensagem da caridade, do amor ou da doação verdadeira.

Encontramos ainda na 1ª Epístola de João: "Não escrevo

---

[2] Gênesis 1:26.

um novo mandamento, mas sim aquele que tivemos desde o princípio: que amemos uns aos outros"[3].

Quanto mais limitada e particularizada for a maneira de viver o amor, menor será nossa consciência de que todos os seres humanos têm uma capacidade ilimitada de amar ao mesmo tempo muitas pessoas. Quanto mais o amor for compartilhado com os outros, mais nos desenvolveremos e nos plenificaremos na vida.

Olhar os outros com os olhos do amor é a grande proposta da caridade. O verdadeiro sentido da palavra caridade, como a entendia Jesus, era: "Benevolência para com todos, indulgência para com as imperfeições alheias, perdão das ofensas"[4].

Caridade é amor, e não há amor onde não houver "profundo respeito" aos seres humanos. Se substituirmos na conceituação de Jesus as palavras "benevolência", "indulgência" e "perdão" por "amor/respeito", compreenderemos realmente esse sentimento incondicional do Mestre por todas as criaturas.

"Amor/respeito para com todos", "Amor/respeito para com as imperfeições alheias", "Amor/respeito aos ofensores": aqui estão as regras básicas da conduta do Cristo.

Não olvidemos, porém, que respeitar os outros não quer dizer "ser conivente" ou "manter cumplicidade".

Concluímos ajustando o texto de Paulo ao nosso melhor entendimento: "Ainda que eu falasse a língua dos homens e também a dos anjos; ainda que eu tivesse o dom da profecia e penetrasse todos os mistérios; ainda que eu dominasse a ciência e tivesse uma fé tão grande que removesse montanhas, tudo isso não me serviria de nada se não tivesse amor/respeito aos seres humanos".

---

[3] I João 3:11.
[4] Questão 886, "O Livro dos Espíritos".

Velhas recordações, velhas doenças

"Quantas vezes perdoarei a meu irmão? Perdoar-lhe-eis não sete vezes, mas setenta vezes sete vezes..."
"...Escutai, pois, essa resposta de Jesus e, como Pedro, aplicai-a a vós mesmos; perdoai, usai de indulgência, sede caridosos, generosos, pródigos mesmo de vosso amor..."
(Cap. X, item 14.)

Trazemos múltiplos clichês mentais arquivados no inconsciente profundo, resultado de velhas recordações danosas herdadas das mais variadas épocas, seja na atualidade, seja em outras existências no passado distante.

Essas fontes emitem, através de mecanismos psíquicos, energias que não nos deixam sair com facilidade do fluxo desses eventos desagradáveis, registrados pelas retinas da alma, mantendo-nos retidos em antigas mágoas e feridas morais entre os fardos da culpa e da vergonha.

Por não recordarmos que o perdão a nós mesmos e aos outros é um poderoso instrumento de cura para todos os males, é que impedimos o passado de fluir, não dando ensejo à renovação, e sim a enfermidades e desalentos.

Tentamos viver alienados dos nossos ressentimentos e velhas amarguras, distraindo-nos com jogos e diversões, ou mesmo buscando alívio no trabalho ininterrupto, mas apenas estamos adiando a solução futura da dor, porque essas medidas são temporárias.

É mais fácil dizer que se tem uma úlcera gástrica do que admitir um descontentamento conjugal; é mais fácil também consentir-se portador de uma frequente cólica intestinal do que aceitar-se como indivíduo colérico e inflexível.

Muitas moléstias antes consideradas como orgânicas estão sendo reconhecidas agora como "psicossomáticas", porque se encontraram fatores psicológicos expressivos em sua origem.

As insanidades físicas são quase sempre traduzidas como somatizações das recordações doentias de ódio e vingança, que, mantidas a longo prazo, resultam em doenças crônicas.

Dessa forma, compreenderás que a gravidade e a duração dos teus sintomas de prostração e abatimento orgânico são diretamente proporcionais à persistência em manteres abertas tuas velhas chagas do passado.

As predisposições físicas das pessoas às enfermidades nada mais são do que as tendências morais da alma, que podem modificar as qualidades do sangue, dando-lhe maior ou menor atividade, provocar secreções ácidas ou hormonais mais ou menos abundantes, ou mesmo perturbar as multiplicações celulares, comprometendo a saúde como um todo.

Portanto, as causas das doenças somos nós sobre nós mesmos, e, para que tenhamos equilíbrio fisiológico, é preciso cuidar de nossas atitudes íntimas, conservando a harmonia na alma.

Indulgência se define como sendo a facilidade que se tem para perdoar. Muitos de nós ficamos constantemente tentando provar que sempre estivemos certos e que tínhamos toda a razão; outros ficam repisando os erros e as faltas alheias. Mas, se quisermos saúde e paz, libertemo-nos desses fardos pesados, que nos impedem de voar mais alto, para as possibilidades do perdão incondicional.

Perdoar não significa esquecer as marcas profundas que nos deixaram, ou mesmo fechar os olhos para a maldade alheia. Perdoar é desenvolver um sentimento profundo de compreensão, por saber que nós e os outros ainda estamos distantes de agir corretamente. Por não estarmos, momentaneamente, em completo contato com a intimidade de nossa criação divina, é que todos nós temos, em várias ocasiões, gestos de irreflexão e ações inadequadas.

Das velhas doenças nos libertaremos quando as velhas recordações do "não-perdão" deixarem de comandar o leme de nossas vidas.

Tuas insatisfações

"Um dos defeitos da Humanidade é ver o mal de outrem antes de ver o que está em nós..."
"...Incontestavelmente, é o orgulho que leva o homem a dissimular os próprios defeitos, tanto morais como físicos..."
(Cap. X, item 10.)

Jovens, adultos, idosos, criaturas das várias posições sociais e dos mais diferentes contextos de vida, sofrem a aguilhoada da insatisfação.

Muitos solteiros procuram incessantemente parceiros afetivos para que as "sarças da solidão" não possam alfinetar suas necessidades íntimas de se completar no amor, esquecendo-se, porém, de que a solidão é a falta de confiança em nós mesmos, quando nos rejeitamos e nos desprezamos, e não apenas a falta de alguém em nossas vidas.

Muitos casados reclamam sistematicamente que já não veem mais o cônjuge com os mesmos olhos de antes e, por isso, sentem-se desiludidos e abalados diante da união infeliz, que outrora julgavam acertada. Contudo, não observaram que a decepção não era com o outro, porém com eles próprios. Por não aceitarem seus fracassos, é que projetam suas incompetências e insatisfações como sendo "pelos outros" e nunca "por si mesmos".

Várias criaturas enfrentam a pobreza, lutam incansavelmente para a aquisição de recursos amoedados, tentando dessa forma sair das agruras da miséria. Não percebem, todavia, que prosperidade é uma atitude de espírito, e que quanto mais declaram à sua mente que estão abertas para aceitar a abundância do Universo, mais a consciência se torna próspera; que a verdadeira prosperidade não se expressa em quantia de bens materiais que possuem, mas no receber e no dividir todo esse imenso tesouro de possibilidades herdado pela nossa Criação Divina.

Muitos ricos labutam constantemente para acumular mais e mais, e afirmam que isso é necessário para assegurar a manutenção dos bens já amontoados, por previdência e cautela. Não se dão conta de que sua insatisfação é produto da ganância desmedida, por alimentar crenças de escassez e míngua e por acreditar que a riqueza é que os faz homens respeitados e consideráveis, pois ainda não tomaram consciência do que é "ser" e do que é "ter".

Outros tantos buscam o poder, como forma de encobrir o desgosto e de se auto-afirmar perante o mundo, escravizando em plena atualidade criaturas simplórias e incautas, para satisfazer seu "ego neurótico". O desânimo tomou tamanha dimensão em torno deles que acreditam que, mandando arbitrariamente e desrespeitando leis e limites dos outros, podem eliminar o desalento que sempre os ameaça.

Jovens e adultos buscam dissimular a insatisfação interior, e para isso adquirem títulos acadêmicos, supondo que a outorga dessa distinção possa trazer-lhes permissão, diante da sociedade, para dominar e sobressair, com prestígio e capacidade que pensam possuir. O que ocorre, no entanto, é que não descobriram ainda o verdadeiro prestígio e capacidade, somente possíveis a partir do momento em que investirem em seus valores mais íntimos, em busca do autodomínio.

Insatisfação não se cura projetando-a sobre situações, pessoas, títulos, poder, posições sociais, mas reconhecendo a fonte que a produz.

Jesus de Nazaré, o Sublime Preceptor das Almas, convoca-nos a distinguir as "verdadeiras traves" que não nos deixam avistar as "causas reais" de nossas insatisfações, e nos receita de forma implícita o remédio ideal: através do autodescobrimento, fazer emergir de nossas profundezas as matrizes de nossos comportamentos inadequados, que provocam essa incômoda atmosfera de "descontentamento" a envolver-nos de tempos em tempos.

Perfeição versus perfeccionismo

"... **E** *se vós não saudardes senão vossos irmãos, que fazeis nisso mais que os outros? Os pagãos não o fazem também? Sede pois, vós outros, perfeitos, como vosso Pai Celestial é perfeito."*

(Cap. XVII, item 1.)

As tendências ao perfeccionismo têm raízes profundas e escondidas revelando, às vezes, um grande medo indefinido e oculto. A diferença principal entre um indivíduo saudável e o perfeccionista é que o primeiro controla sua própria vida, enquanto o segundo é controlado sistematicamente por sua compulsão pertinaz.

Trazemos como somatório de múltiplas existências crenças negativas de que nosso valor é medido por nossos desempenhos bem-sucedidos e que os erros nos rebaixariam o merecimento como pessoa. Daí as emoções desconexas de medo, de desagrado e de punição. Como exemplo, pensamos inconscientemente que, se formos imperfeitos e falhos, as pessoas não vão mais confiar em nós, ou jamais teremos sucesso na vida. O transtorno dos perfeccionistas é não se aceitarem como espíritos falíveis, não aceitando também os outros nessa mesma condição, tentando assim agradar a todos e lhes corresponder às expectativas.

Às vezes os perfeccionistas podem até pensar, mas não admitem: "se eu fracassar, vão me criticar"; em outras ocasiões, insistem em dizer que "não pensam assim", demonstrando, porém, o contrário, pois ficam profundamente descontrolados quando cometem algum erro.

Certas fixações pelo desempenho perfeito são necessidades de aprovação e carinho que nasceram durante a infância: "Se você não fizer tudo certinho, a mamãe e o papai não vão gostar mais de você". São vozes do passado que ecoam até hoje nas mentes perfeccionistas.

Esses distúrbios de comportamento levam, em muitas situações, os indivíduos a uma lentidão superlativa para fazer as coisas. Querem fazer tudo com tantos detalhes e precisão que nunca acabam o que estão fazendo. Outros são conhecidos pelo nome de proteladores, ou seja, adiam sistematicamente a ação, por temer um desempenho imperfeito. Por exemplo, se começam a apontar um lápis, levam o objeto à destruição em alguns minutos, pela busca milimétrica da perfeição. Outros sintomas ou sinais mais comuns: certas pessoas são obcecadas em dispor as coisas simetricamente, de modo que não fiquem um centímetro fora do lugar. Quanto mais verificam, mais querem checar e mais têm dúvidas.

Os perfeccionistas necessitam ser impecáveis, respondem a todas as perguntas, mesmo àquelas que não sabem corretamente. Por possuírem desordens psíquicas, buscam incessantemente controlar a ordem exterior, vigiando os comportamentos alheios como verdadeiros juízes da moral e dos costumes.

Por não admitirmos o erro e por não percebermos que o único fracasso legítimo é aquele com o qual nada aprendemos, é que os conceitos de perfeição doentia perturbam constantemente nossa zona mental. Por isso, o erro não deve ser considerado como perda definitiva, mas apenas uma experiência de aprendizagem.

"Sede pois, vós outros, perfeitos, como vosso Pai Celestial é perfeito" – disse-nos Jesus Cristo. Entretanto, não nos conclama com essa assertiva para que tomemos "ares" de perfeição presunçosa, e sim que nos esforcemos para um crescimento gradual no processo da vida, que nos dará oportunamente habilidades cada vez maiores e melhores.

Somos todos convocados pelo Mestre ao exercício do aperfeiçoamento, mas contemos com o tempo e a prática como fatores essenciais, esquecendo a perfeição doentia, atrelada a uma "determinação martirizante e desgastante", que nos faz despender enorme carga energética para manter uma aparência irrepreensível.

Repensemos o texto cristão, refletindo se estamos buscando o crescimento rumo à perfeição, ou se estamos simulando possuir uma santidade que não suporta sequer o toque da menor contrariedade.

Autoperdão

"*Perdoar aos inimigos é pedir perdão para si mesmo...*"
"*... porque se sois duros, exigentes, inflexíveis, se tendes rigor mesmo por uma ofensa leve, como quereis que Deus esqueça que, cada dia, tendes maior necessidade de indulgência?...*"

(Cap. X, item 15.)

Nossas reações perante a vida não acontecem em função apenas dos estímulos ou dos acontecimentos exteriores, mas também e sobretudo de como percebemos e julgamos interiormente esses mesmos estímulos e acontecimentos. Em verdade, captamos a realidade dos fatos com nossas mais íntimas percepções, desencadeando, consequentemente, peculiares emoções, que serão as bases de nossas condutas e reações comportamentais no futuro.

Portanto, nossa forma de avaliar e de reagir e, as atitudes que tomamos em relação aos outros, conceituando-os como bons ou maus, são determinadas por um sistema de auto-censura que se encontra estruturado em nossos "níveis de consciência" mais profundos.

Toda e qualquer postura que assumimos na vida se prende à maneira de como olhamos o mundo fora e dentro de nós, a qual pode nos levar a uma sensação íntima de realização ou de frustração, de contentamento ou de culpa, de perdão ou de punição, de acordo com o "código moral" modelado na intimidade de nosso psiquismo.

Esse "julgador interno" foi formado sobre as bases de conceitos que acumulamos nos tempos passados das vidas incontáveis, também com os pais atuais, com os ensinamentos de professores, com líderes religiosos, com o médico da família, com as autoridades políticas de expressão, com a sociedade enfim.

Também, de forma sutil e quase inconsciente, no contato com informações, ordens, histórias, superstições, preconceitos e tradições assimilados dos adultos com quem convivemos em longos períodos de nossa vida. Portanto, ele, o julgador interno, nem sempre condiz com a realidade perfeita das coisas.

Essa "consciência crítica", que julga e cataloga nossos feitos, autocensurando ou auto-aprovando, influencia a criatura a agir do mesmo modo que os adultos agiram sobre ela quando criança, punindo-a, quando não se comportava da maneira como aprendeu a ser justa e correta; ou dando toda uma sensação de aprovação e reconforto, quando ela agia dentro das propostas que assimilou como sendo certas e decentes.

A gênese do não-perdão a si mesmo está baseada no tipo de informações e mensagens que acumulamos através das diversas fases de evolução de nossa existência de almas imortais.

Podemos experimentar culpa e condenação, perdão e liberdade de acordo com os nossos valores, crenças, normas e regras vigentes, podendo variar de indivíduo para indivíduo, conforme seu país, sexo, raça, classe social, formação familiar e fé religiosa. Entendemos assim que, para atingir o autoperdão, é necessário que reexaminemos nossas convicções profundas sobre a natureza do nosso próprio ser, estudando as leis da Vida

Superior, bem como as raízes da educação que recebemos na infância, nesta existência.

Uma das grandes fontes de auto-agressão vem da busca apressada de perfeição absoluta, como se todos devêssemos ser deuses ou deusas de um momento para outro. Aliás, a exigência de perfeição é considerada a pior inimiga da criatura, pois a leva a uma constante hostilidade contra si mesma, exigindo-lhe capacidades e habilidades que ela ainda não possui.

Se padrões muito severos de censura foram estabelecidos por pais perfeccionistas à criança, ou se lhe foi imposto um senso de justiça implacável, entre regulamentos disciplinadores e rígidos, provavelmente ela se tornará um adulto inflexível e irredutível para com os outros e para consigo mesmo.

Quando sempre esperamos perfeição em tudo e confrontamos o lado "inadequado" de nossa natureza humana, nos sentiremos fatalmente diminuídos e envolvidos por uma aura de fracasso. Não tomar consciência de nossas limitações é como se admitíssemos que os outros e nós mesmos devêssemos ser oniscientes e todo-poderosos. Afirmam as pessoas: "Recrimino-me por ter sido tão ingênuo naquela situação..."; "Tenho raiva de mim mesmo por ter aceitado tão facilmente aquelas mentiras..."; "Deveria ter previsto estes problemas atuais"; "Não consigo perdoar-me, pois pensei que ele mudaria...". São maneiras de expressarmos nossa culpa e o não-perdão a nós mesmos – exigências desmedidas atribuídas às pessoas perfeccionistas.

Os viciados em perfeição acham que podem fazer tudo sempre melhor e, portanto, rejeitam quase tudo o que os outros fazem ou fizeram. Não aceitam suas limitações e não enxergam a "perfeição em potencial" que existe dentro deles mesmos, perdendo assim a oportunidade de crescimento pessoal e de desenvolvimento natural, gradativo e constante, que é a técnica das leis do Universo.

A desestima a nós próprios nasce quando não nos aceitamos como somos. Somente a auto-aceitação nos leva a sentir plena segurança ante os fatos e ocorrências do cotidiano, ainda que os indivíduos ao nosso redor não entendam nossas melhores intenções.

O perdão concede a paz de espírito, mas essa concessão nos escapará da alma se estivermos presos ao desejo de dirigir os passos de alguém, não respeitando o seu propósito de viver.

Devemos compreender que cada um de nós está cumprindo um destino só seu, e que as atividades e modos das outras pessoas ajustam-se somente a elas mesmas. Estabelecer padrões de comportamento e modelos idealizados para os nossos semelhantes é puro desrespeito e incompreensão ante o mecanismo da evolução espiritual. Admitir e aceitar os outros como eles são nos permite que eles nos admitam e nos aceitem como somos.

Perdoar-nos resulta no amor a nós mesmos – o pré-requisito para alcançarmos a plenitude do "bem viver".

Perdoar-nos é não importar-nos com o que fomos, pois a renovação está no instante presente; o que importa é como somos hoje e qual é nossa determinação de buscar nosso progresso espiritual.

Perdoar-nos é conviver com a mais nítida realidade, não se distraindo com ilusões de que os outros e nós mesmos "deveríamos ser" algo que imaginamos ou fantasiamos.

Perdoar-nos é compreender que os que nos cercam são reflexos de nós mesmos, criações nossas que materializamos com nossos pensamentos e convicções íntimas.

O texto em estudo – "Perdoar aos inimigos é pedir perdão para si mesmo" – quer dizer: enquanto não nos libertarmos da necessidade de castigar e punir o próximo, não estaremos recebendo a dádiva da compreensão para o autoperdão.

Adaptando o excerto do apóstolo Paulo às nossas vidas, perguntamo-nos: "...porque se sois duros, exigentes, inflexíveis, se tendes rigor mesmo por uma ofensa leve...", como haveremos de criar oportunidades novas para que o "Divino Processo da Vida" nos fecunde a alma com a plenitude do Amor e, assim, possamos perdoar-nos?

Ligar-se a Deus

"... A forma não é nada, o pensamento é tudo. Orai, cada um, segundo as vossas convicções e o modo que mais vos toca; um bom pensamento vale mais que numerosas palavras estranhas ao coração..."
(Cap. XXVIII, item 1.)

No passado buscávamos Deus entre os holocaustos, oferendas, incensos, cultos e cantos. Era necessária uma representação semimaterial, apropriada ao nosso estado de adiantamento e à nossa capacidade de entendimento espiritual. Desde os velhos tempos do monoteísmo do grande Amenhotep IV ou Akhnaton e o do iluminado Moisés até as numerosas e antigas religiões politeístas, como a dos hindus, egípcios, babilônios, germanos, gregos e romanos, a criatura humana atravessou uma longa fase de amadurecimento espiritual.

Atualmente, as nossas relações com a Divindade têm caráter introspectivo. Se antes a nossa busca se concretizava na exterioridade das coisas, hoje, porém, a fazemos em "espírito e em verdade"[1], ou seja, na essência – imo de nós mesmos.

A introspecção – processo pelo qual prestamos atenção a

---

[1] João 4:23.

nossos próprios estados e atividades internas – conduz as criaturas a se identificar com a maior de todas as fontes de poder do Universo: Deus – manifestação onipresente em todas as suas criações.

Voltar-se para dentro de si mesmo talvez não seja uma atitude constante, espontânea e natural na maioria dos seres humanos, por possuírem o hábito de ocupar mais seus sentidos com as impressões externas do que com as realidades interiores das coisas.

Muitos indivíduos vivem dentro de um círculo vicioso, na ânsia desmedida de estímulos aparentes, mantendo-se constantemente ocupados com as impressões de fora e nutrindo-se energeticamente só desses estímulos físicos. Contudo, não podemos ignorar ou desvalorizar as fases evolutivas do homem, pois viver para fora é ainda uma necessidade existencial de muitos na atualidade; e é dessa forma que farão pontes ou conexões entre o mundo interno e o externo, entendendo gradativamente que a vida exterior é um reflexo da vida interior.

A busca às fontes de crescimento e renovação espiritual inicia-se vivendo para fora, e aos poucos tomando consciência da vida em si mesmo; portanto, tudo está perfeito na criação universal – viver exteriormente não exclui viver interiormente. São etapas interligadas de um longo processo de aprendizagem evolucional.

Perceber, no entanto, a verdadeira realidade do mundo que nos rodeia é fator imprescindível para vivermos bem na intimidade de nós mesmos.

Nossa vida mais lúcida, mais íntegra, mais prazerosa, mais criativa e indissolúvel se desenvolve dentro de nós mesmos, nas atividades recônditas dos pensamentos, dos sentimentos, da imaginação produtiva e da consciência profunda.

Interiorizar-nos na oração, vivendo cada vez mais a plenitude da vida por dentro, faculta-nos observar o que somos, quem somos e o que realmente está acontecendo em nossas vidas. Facilita também nossa percepção entre o "real" e o "imaginário", diminuindo as possibilidades de iludir-nos ou fantasiarmos fatos e ocorrências.

"Não sabeis que sois um templo de Deus e que o Espírito de Deus habita em vós?"[2]

Tomar contato com "Deus em nós" possibilita trazer à nossa visão atual uma translúcida consciência, que nos permite reavaliá-la convenientemente. Faculta igualmente localizar os enganos e reformular percepções, para que possamos identificar a realidade tal qual é, pois viver ignorando o significado de nossos atos e impulsos é desvalorizar o nosso processo evolutivo, passando pela vida na inconsciência.

Cultivar o reino espiritual em nós facilita-nos escutar a verdade que Deus reservou para cada uma de suas criaturas. Também no cultivo desse reino aprendemos que a felicidade não é determinada por eventos ou forças externas, mas no silêncio da alma, onde a inspiração divina vibra intensamente.

Paulo de Tarso escreve aos Efésios: "... Que Ele ilumine os olhos dos vossos corações, para saberdes qual é a esperança que o Seu chamado encerra..."[3]

Buscar a Deus com os "olhos do coração" – na expressão paulina – é reconhecer que somente olhando para dentro de

---

[2] I Coríntios 3:16.
[3] Efésios 1:18.

nós mesmos, descobrindo o que Deus escreveu em todos os corações, é que conseguiremos alcançar a plenitude da vida abundante. E entregarmo-nos a partir daí a Sua Orientação e Sabedoria, sem restringir-nos a "resultados esperados". Essa a forma mais consciente de orar.

O mais alto sistema de intercâmbio com a Vida em nós e fora de nós é a oração – escutar a Deus no âmago da própria alma.

A busca do melhor

" edi e se vos dará; buscai e achareis; batei à porta e se vos abrirá; porque todo aquele que pede recebe, quem procura acha, e se abrirá àquele que bater à porta..."

"...mas Deus lhe deu, a mais do que ao animal, o desejo incessante do melhor, e é este desejo do melhor que o impele à procura dos meios de melhorar sua posição..."

(Cap. XXV, itens 1 e 2.)

"Nenhum ser humano deseja ser infeliz intencionalmente", pois nenhuma criatura ousa fazer alguma coisa de propósito, a fim de que venha a sofrer ou a se tornar derrotada.

Quando agimos erroneamente, é porque optamos pelo que nos parecia o "melhor", conforme nossa visão, visto que todos os nossos comportamentos estão alicerçados em nossa própria maneira de perceber a vida.

Sócrates afirmava que "ninguém que saiba ou acredite que haja coisas melhores do que as que faz, ou que estão a seu alcance, continua a fazê-las quando conhece a possibilidade de outras melhores".

A compreensão do "melhor" depende do desenvolvimento de um raciocínio lógico para cada situação, e se dá na criatura através de uma sequência progressiva, onde se leva em conta a maturidade espiritual adquirida em experiências evolutivas no decorrer dos tempos.

Todos nós acumulamos informações, instruções, noções em nossas multifárias vivências anteriores. A princípio, passamos a vivenciá-las superficialmente. Aos poucos, vamos analisando-as e assimilando-as, entre processos de reelaboração, para só depois passar a integrá-las em definitivo em nós mesmos, isto é, incorporá-las por inteiro.

Em "fazer nosso melhor" está contido o quanto de amadurecimento conseguimos recolher nas experiências da vida e também como usamos e interrelacionamos essas mesmas experiências quando deparamos com fatos e situações no decorrer dos caminhos.

Fundamentalmente, somos agora o que de melhor poderíamos ser, já que estamos fazendo conforme nossas possibilidades de interpretação, junto aos outros e perante a vida, porque sempre optamos de acordo com nossa "gradação evolutiva".

Perguntamo-nos, porém, quanto aos indivíduos que matam, mentem, caluniam e fingem: porventura, um ladrão que assalta alguém não saberá o certo, ou o justo? Desconhece o que está fazendo?

Instrução é conhecer com o intelecto e, portanto, não é a mesma coisa que "saber com todo o nosso ser"; isto é, só integraremos o "saber" de alguma coisa quando ela se encontrar completamente "contida" em nós próprios. Aí, de fato poderemos dizer que aprendemos e assimilamos totalmente.

Assim analisando, apenas o que sentimos em profundidade, ou experimentamos vivenciando, é que é considerado o nosso "melhor". Não o que lemos, não o que escutamos, não o que os outros ensinam, ou mesmo o que tentam nos mostrar. Estar na "cabeça" não é o mesmo que "estar na alma inteira".

Aparentemente, podemos julgar um ato como negativo, mas, quando atingirmos o âmago da criatura e observarmos como ela foi educada, quais valores recebeu na infância, o meio social em que cresceu, aí entenderemos o que a motivou a agir daquela forma e o porquê daquele seu padrão comportamental.

Obviamente que o nosso melhor de hoje sofrerá amanhã profundas alterações. Aliás, a própria evolução é um processo que nos incita sempre ao melhor, pois é propósito do Universo fazer-nos progredir cada vez mais para nos aproximar da sabedoria plena.

A natureza humana tende sempre a compensar suas faltas e insuficiências. Consta cientificamente que todo organismo está sempre buscando se atualizar, ou se suprir, pois quando gasta energia tem sempre a necessidade de recompor essa carência energética, expressando-se em algumas ocasiões com a sensação da fome ou da sede. Notamos que essa força que busca melhorar-nos, ou mesmo contrabalancear-nos, é como se fosse uma "alavanca poderosa" que tende sempre a atualizar-nos, mantendo-nos sempre no melhor equilíbrio possível. Quando um pulmão adoece e deixa de funcionar, o outro pulmão faz a função de ambos; assim também pode ocorrer com nosso rim. Em outros casos, essa força interna tenta reparar os deficientes visuais e auditivos, compensando-os com maior percepção, sensibilidade e tato. Estruturas ósseas fraturadas se recompõem e se solidificam mais fortalecidas no local exato onde houve a lesão.

Além disso, verifica-se que nosso sistema imunológico, que é essa mesma força em ação, exerce grande influência sobre o organismo para mantê-lo no seu melhor desempenho, conservando a própria subsistência orgânica através de mecanismos de autodefesa, com que elimina todos e quaisquer elementos estranhos que possam vir a comprometê-lo.

Por definição, "processo de atualização" é a capacidade de adaptação às novas necessidades, ou mesmo a modificação de comportamento íntimo para melhores posturas, a fim de que se conserve a individualidade integralizada.

Ao analisarmos as estruturas físicas, sistemas e órgãos da constituição corpórea, veremos que funcionam por meio de uma atividade perfeita de compensação, e que sempre impulsionam a criatura a manter-se fisicamente melhor. Também sob o aspecto psicológico, esse fenômeno ocorre para que todos nós possamos ajustar-nos diante da vida, de acordo com o nosso "melhor". Todo nosso propósito íntimo é fundamentalmente bom, porque ninguém consegue agir de modo diferente do que assimilou como certo ou favorável.

A intenção dos seres humanos se baseia no cabedal de capacidades e habilidades próprias, porém os meios de execução pelos quais eles atuam são sempre questionáveis, pois outros indivíduos, nas mesmas situações, tomariam medidas diferentes, baseados em seu "estágio evolutivo".

Ainda examinando essa questão, é imperativo dizer que, quando estamos fazendo o nosso "melhor", agimos de acordo com o que sabemos nesse exato momento e, dessa forma, a Providência Divina estará nos protegendo. Porém, quando propositadamente não correspondemos com atos e atitudes ao nosso grau de justiça e conhecimento, passamos a não mais receber "condescendência espiritual", visto que transgredimos os limites das leis naturais que nos amparam e sustentam.

Escreveu o apóstolo Pedro que "Deus julga a cada um de

acordo com suas obras"[1]. Tais palavras poderão ser interpretadas como a certeza de sermos avaliados pelo "Poder Divino" segundo nossa capacidade de escolha, ou seja, levando-se em conta nosso conjunto de funções mentais e espirituais, bem como nossa aptidão racional de fazer, decidir, analisar e tomar direções.

As nossas "obras", as quais são referenciadas no texto evangélico, não são edifícios de alvenaria, perecíveis e passageiros; são nossas construções íntimas – o "maior potencial" que já conquistamos ou conseguimos atingir, em todos os sentidos da vida.

Isso equivale a dizer que o nosso "melhor" será sempre o ponto-chave na apreciação e no cálculo da "Contabilidade Divina", ao registrar se os "céus nos ajudarão", se "acharemos o que buscamos", se "as portas se abrirão" ou se "permanecerão fechadas".

---

[1] I Pedro 1:17.

Índice das citações de "O Evangelho Segundo o Espiritismo"

Notas
* Número do item ("O Evangelho Segundo o Espiritismo")
** Número da página ("Renovando Atitudes")

AUDIOLIVRO BOA NOVA

SUCESSO

NOVIDADE

Elaborado a partir do estudo e análise de "O Evangelho Segundo o Espiritismo", Renovando Atitudes é um dos maiores sucessos da literatura mediúnica nacional. Depois de traduzi-lo para o inglês e o espanhol, a Boa Nova Editora lança sua versão em audiolivro. Ideal para você, que não tem muito tempo para dedicar à leitura, já que pode escutá-lo no carro, no ônibus ou mesmo em casa, na hora que quiser.

O autor espiritual Hammed, através das questões de "O Livro dos Espíritos", analisa a depressão, o medo, a culpa, a mágoa, a rigidez, a repressão, dentre outros comportamentos e sentimentos, denominando-os "dores da alma", e criando pontes entre os métodos da psicologia, pedagogia e da sociologia, fazendo o leitor mergulhar no desconhecido de si mesmo no propósito de alcançar o autoconhecimento e a iluminação interior.

IMPRESSÃO E ACABAMENTO

YANGRAF

GRÁFICA E EDITORA LTDA.
WWW.YANGRAF.COM.BR
(11) 2095-7722